사고력 수학 소마가 개발한 연산학습의 새 기준!!

소마의 **마**술같은 원리**셈**

소마셈

KB129334

C5
3학년

- 생각하는 수 이야기 08
- 1주차 – (세 자리 수)×(두 자리 수) (1) 09
- 2주차 – (세 자리 수)×(두 자리 수) (2) 23
- 3주차 – (네 자리 수)×(두 자리 수) 37
- 4주차 – 곱셈식 만들기 55
- Drill (보충학습) 79
- 정답 113

수학이 즐거워지는 특별한 수학교실
소마에서 개발한 연산교재 소마셈

소마셈

2002년 대치소마 개원 이후로 끊임없는 교재 연구와 교구의 개발은 소마의 자랑이자 자부심입니다. 교구, 게임, 토론 등의 다양한 활동식 수업으로 스스로 문제해결능력을 키우고, 아이들이 수학에 대한 흥미와 자신감을 가질 수 있도록 차별성 있는 수업을 해 온 소마에서 연산 학습의 새로운 패러다임을 제시합니다.

연산 교육의 현실

연산 교육의 가장 큰 폐해는 '초등 고학년 때 연산이 빠르지 않으면 고생한다.'는 기존 연산 학습지의 왜곡된 마케팅으로 인해 단순 반복을 통한 기계적 연산을 강조하는 것입니다. 하지만, 기계적 반복을 위주로 하는 연산은 개념과 원리가 빠진 연산 학습으로써 아이들이 수학을 싫어하게 만들 뿐 아니라 사고의 확장을 막는 학습방법입니다.

초등수학 교과과정과 연산

초등교육과정에서는 문자와 기호를 사용하지 않고 말로 풀어서 연산의 개념과 원리를 설명하다가 중등교육과정부터 문자와 기호를 사용합니다. 교과서를 살펴보면 모든 연산의 도입에 원리가 잘 설명되어 있습니다. 요즘 현실에서는 연산의 원리를 묻는 서술형 문제도 많이 출제되고 있는데 연산은 연습이 우선이라는 인식이 아직도 지배적입니다.

연산 학습은 어떻게?

연산 교육은 별도로 떼어내어 추상적인 숫자나 기호만 가지고 다뤄서는 절대로 안됩니다. 구체물을 가지고 생각하고 이해한 후, 연산 연습을 하는 것이 필요합니다. 또한, 속도보다 정확성을 위주로 학습하여 실수를 극복할 수 있는 좋은 습관을 갖추는 데에 초점을 맞춰야 합니다.

소마셈 연산학습 방법

10이 넘는 한 자리 덧셈 구체물을 통한 개념의 이해

덧셈과 뺄셈의 기본은 수를 세는 데에 있습니다. 8+4는 8에서 1씩 4번을 더 센 것이라는 개념이 중요합니다. 10의 보수를 이용한 받아 올림을 생각하면 8+4는 (8+2)+2지만 연산 공부를 시작할 때에는 덧셈의 기본 개념에 충실한 것이 좋습니다. 이 책은 구체물을 통해 개념을 이해할 수 있도록 구체적인 예를 든 연산 문제로 구성하였습니다.

가로셈 가로셈을 통한 수에 대한 사고력 기르기

세로셈이 잘못된 방법은 아니지만 연산의 원리는 잊고 받아 올림한 숫자는 어디에 적어야 하는지만을 기억하여 마치 공식처럼 풀게 합니다. 기계적으로 반복하는 연습은 생각없이 연산을 하게 만듭니다. 가로셈을 통해 원리를 생각하고 수를 쪼개고 붙이는 등의 과정에서 키워질 수 있는 수에 대한 사고력도 매우 중요합니다.

곱셈구구 곱셈도 개념 이해를 바탕으로

곱셈구구는 암기에만 초점을 맞추면 부작용이 큽니다. 곱셈은 덧셈을 압축한 것이라는 원리를 이해하며 구구단을 외움으로써 연산을 빨리 할 수 있다는 것을 알게 해야 합니다. 곱셈구구를 외우는 것도 중요하지만 곱셈의 의미를 정확하게 아는 것이 더 중요합니다. 4×3을 할 줄 아는 학생이 두 자리 곱하기 한 자리는 안 배워서 45×3을 못 한다고 말하는 일은 없도록 해야 합니다.

소마셈 학습가이드

K단계 (5, 6, 7세) • 연산을 시작하는 단계

뛰어세기, 거꾸로 뛰어세기를 통해 수의 연속한 성질(linearity)을 이해하고 덧셈, 뺄셈을 공부합니다. 각 권의 호흡은 짧지만 일관성 있는 접근으로 자연스럽게 나선형식 반복학습의 효과가 있도록 하였습니다.

학습대상 : 연산을 시작하는 아이와 한 자리 수 덧셈을 구체물(손가락 등)을 이용하여 해결하는 아이

학습목표 : 수와 연산의 튼튼한 기초 만들기

P단계 (7세, 1학년) • 받아올림이 있는 덧셈, 뺄셈을 배울 준비를 하는 단계

5, 6, 9 뛰어세기를 공부하면서 10을 이용한 더하기, 빼기의 편리함을 알도록 한 후, 가르기와 모으기의 집중학습으로 보수 익히기, 10의 보수를 이용한 덧셈, 뺄셈의 원리를 공부합니다.

학습대상 : 받아올림이 없는 한 자리 수의 덧셈을 할 줄 아는 학생

학습목표 : 받아올림이 있는 연산의 토대 만들기

A단계 (1학년) • 초등학교 1학년 교과과정 연산

받아올림이 있는 한 자리 수의 덧셈, 뺄셈은 연산 전체에 매우 중요한 단계입니다. 원리를 정확하게 알고 A1에서 A4까지 총 4권에서 한 자리 수의 연산을 다양한 과정으로 연습하도록 하였습니다.

학습대상 : 초등학교 1학년 수학교과과정을 공부하는 학생

학습목표 : 10의 보수를 이용한 받아올림이 있는 덧셈, 뺄셈

B단계 (2학년) • 초등학교 2학년 교과과정 연산

두 자리, 세 자리 수의 연산을 다룬 후 곱셈, 나눗셈을 다루는 과정에서 곱셈구구의 암기를 확인하기보다는 곱셈구구를 외우는데 도움이 되고, 곱셈, 나눗셈의 원리를 확장하여 사고할 수 있도록 하는데 초점을 맞추었습니다.

학습대상 : 초등학교 2학년 수학교과과정을 공부하는 학생

학습목표 : 덧셈, 뺄셈의 완성 / 곱셈, 나눗셈의 원리를 정확하게 알고 개념 확장

C단계 (3학년) • 초등학교 3, 4학년 교과과정 연산

B단계까지의 소마셈은 다양한 문제를 통해서 학생들이 즐겁게 연산을 공부하고 원리를 정확하게 알게 하는데 초점을 맞추었다면, C단계는 3학년 과정의 큰 수의 연산과 4학년 과정의 혼합 계산, 괄호를 사용한 식 등, 필수 연산의 연습을 충실히 할 수 있도록 하였습니다.

학습대상 : 초등학교 3, 4학년 수학교과과정을 공부하는 학생

학습목표 : 큰 수의 곱셈과 나눗셈, 혼합 계산

D단계 (4학년) • 초등학교 4, 5학년 교과과정 연산

분모가 같은 분수의 덧셈과 뺄셈, 소수의 덧셈과 뺄셈을 공부하여 초등 4학년 과정 연산을 마무리하고 초등 5학년 연산과정에서 가장 중요한 약수와 배수, 분모가 다른 분수의 덧셈과 뺄셈을 충분히 익힐 수 있도록 하였습니다.

학습대상 : 초등학교 4, 5학년 수학교과과정을 공부하는 학생

학습목표 : 분모가 같은 분수의 덧셈과 뺄셈, 소수의 덧셈과 뺄셈, 분모가 다른 분수의 덧셈과 뺄셈

소마셈 단계별 학습내용

K단계 추천연령 : 5, 6, 7세

단계	K1	K2	K3	K4
권별 주제	10까지의 더하기와 빼기 1	20까지의 더하기와 빼기 1	10까지의 더하기와 빼기 2	20까지의 더하기와 빼기 2
단계	K5	K6	K7	K8
권별 주제	10까지의 더하기와 빼기 3	20까지의 더하기와 빼기 3	20까지의 더하기와 빼기 4	7까지의 가르기와 모으기

P단계 추천연령 : 7세, 1학년

단계	P1	P2	P3	P4
권별 주제	30까지의 더하기와 빼기 5	30까지의 더하기와 빼기 6	30까지의 더하기와 빼기 10	30까지의 더하기와 빼기 9
단계	P5	P6	P7	P8
권별 주제	9까지의 가르기와 모으기	10 가르기와 모으기	10을 이용한 더하기	10을 이용한 빼기

A단계 추천연령 : 1학년

단계	A1	A2	A3	A4
권별 주제	덧셈구구	뺄셈구구	세 수의 덧셈과 뺄셈	□가 있는 덧셈과 뺄셈
단계	A5	A6	A7	A8
권별 주제	(두 자리 수)+(한 자리 수)	(두 자리 수)−(한 자리 수)	두 자리 수의 덧셈과 뺄셈	□가 있는 두 자리 수의 덧셈과 뺄셈

B단계 추천연령 : 2학년

단계	B1	B2	B3	B4
권별 주제	(두 자리 수)+(두 자리 수)	(두 자리 수)−(두 자리 수)	세 자리 수의 덧셈과 뺄셈	덧셈과 뺄셈의 활용
단계	B5	B6	B7	B8
권별 주제	곱셈	곱셈구구	나눗셈	곱셈과 나눗셈의 활용

C단계 추천연령 : 3학년

단계	C1	C2	C3	C4
권별 주제	두 자리 수의 곱셈	두 자리 수의 곱셈과 활용	두 자리 수의 나눗셈	세 자리 수의 나눗셈과 활용
단계	C5	C6	C7	C8
권별 주제	큰 수의 곱셈	큰 수의 나눗셈	혼합 계산	혼합 계산의 활용

D단계 추천연령 : 4학년

단계	D1	D2	D3	D4
권별 주제	분모가 같은 분수의 덧셈과 뺄셈(1)	분모가 같은 분수의 덧셈과 뺄셈(2)	소수의 덧셈과 뺄셈	약수와 배수
단계	D5	D6		
권별 주제	분모가 다른 분수의 덧셈과 뺄셈(1)	분모가 다른 분수의 덧셈과 뺄셈(2)		

구성과 특징

1

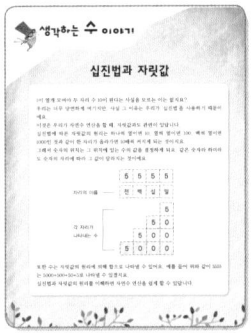

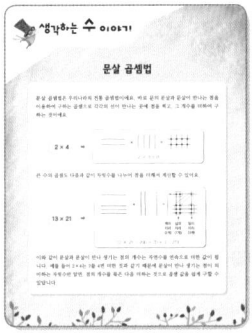

수 이야기

생활 속의 수 이야기를 통해 수와 연산의 이해를 돕습니다. 수의 역사나 재미있는 연산 문제를 접하면서 수학이 재미있는 공부가 되도록 합니다.

2

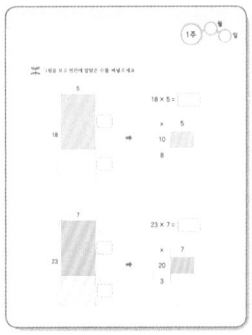

원리

가장 기본적인 연산의 원리를 소개합니다. 이때 다양한 방법을 제시하되 가장 효과적인 방법을 적용할 수 있도록 단계적으로 접근하여 충분한 원리의 이해를 돕습니다.

3

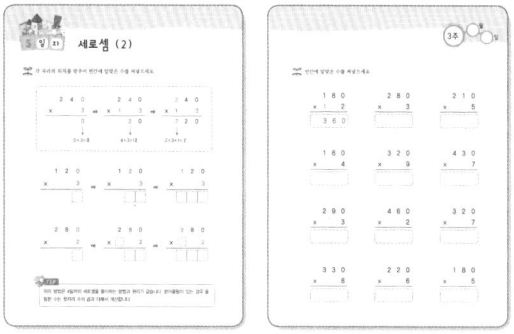

연습

원리의 이해를 바탕으로 연산이 익숙해지도록 연습합니다. 먼저 반복적인 연산 연습 후에 나아가 배운 원리를 활용하여 확장된 문제를 해결합니다.

4

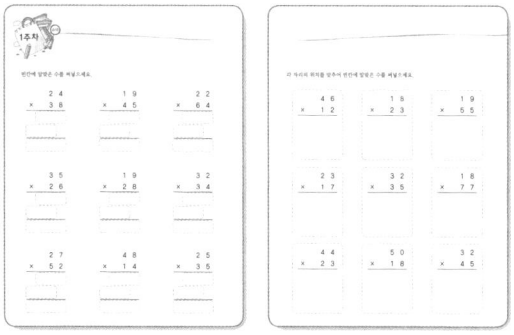

Drill (보충학습)

주차별 주제에 대한 연습이 더 필요한 경우 보충학습을 활용합니다.

TIP 연산과정의 확인이 필수적인 주제는 Drill의 양을 2배로 담았습니다.

복면산

복면산이란 문자로 표현된 수식에서 각 문자가 나타내는 숫자를 추리해 알아맞히는 수학퍼즐의 한 종류입니다. 숫자를 문자로 숨겨서 나타내므로 마치 숫자가 문자라는 '복면'을 쓰고 있는 연산과 같아서 복면산이라고 부른답니다.

복면산 문제에서 같은 문자는 같은 숫자를 나타내고, 맨 앞자리의 숫자는 0이 아니라고 가정하여 문제를 푸는데, 이때 무조건 수를 대입하여 푸는 것보다는 주어진 계산식이 가지고 있는 단서, 즉 계산식의 특징과 홀수, 짝수 등의 특징을 이용하여 문제를 해결하도록 합니다.

다음 문제에서 각 문자에 알맞은 숫자를 구해봅시다.

$$\begin{array}{r} A\ B \\ \times\quad B \\ \hline C\ A \end{array} \quad \Rightarrow \quad \begin{array}{r} \square\square \\ \times\quad \square \\ \hline \square\square \end{array}$$

먼저 위의 문제에서 같은 수끼리 곱했을 때, 일의 자리 숫자 A가 될 수 있는 숫자를 모두 찾아봅니다. B=2 또는 8일 때 A=4, B=3 또는 7일 때 A=9, B=4일 때 A=6, B=9일때 A=1입니다. 이때, B와의 곱이 새로운 수 C가 되는 것을 찾으면 A=4, B=2, C=8이 됩니다.

소마셈 C5 – 1주차

(세 자리 수) × (두 자리 수) (1)

▶ 1일차 : 몇백, 몇천의 곱 10

▶ 2일차 : 어림셈 12

▶ 3일차 : (세 자리 수)×(몇십) 15

▶ 4일차 : (세 자리 수)×(두 자리 수) (1) 17

▶ 5일차 : (세 자리 수)×(두 자리 수) (2) 20

1일차 몇백, 몇천의 곱

다음과 같이 몇백, 몇천의 곱을 해 보세요.

14의 200배 ➡ 14 × 200 = 2800

14의 2000배 ➡ 14 × 2000 = 28000

16의 300배 ➡ 16 × 300 = ☐

16의 3000배 ➡ 16 × 3000 = ☐

31의 400배 ➡ 31 × 400 = ☐

31의 4000배 ➡ 31 × 4000 = ☐

TIP

(두 자리 수)×(몇백), (몇천)의 곱은 (두 자리 수)×(몇)을 계산한 다음, 그 곱에 곱하는 수의 0의 개수만큼 0을 붙이면 됩니다.

□ 안에 알맞은 수를 써넣으세요.

23 × 300 = 6900

26 × 2000 = 52000

17 × 600 = □

18 × 5000 = □

32 × 200 = □

34 × 3000 = □

18 × 300 = □

46 × 2000 = □

41 × 200 = □

53 × 2000 = □

56 × 200 = □

24 × 7000 = □

2일차 어림셈

그림을 보고 어림셈하는 방법을 알아보세요.

127 × 48을 어림셈하기

① 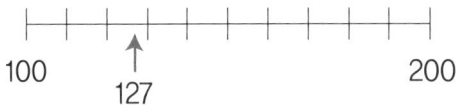

➡ 127은 100으로 어림할 수 있습니다.

② 

➡ 48은 50으로 어림할 수 있습니다.

③ 127 × 48은 100 × 50 = 5000으로 어림할 수 있습니다.

184 × 53을 어림셈하기

① 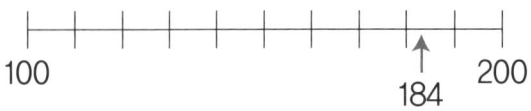

184는 ☐으로 어림할 수 있습니다.

② 

53은 ☐으로 어림할 수 있습니다.

③ 184 × 53은 ☐ × ☐ = ☐ 으로 어림할 수 있습니다.

어림셈하여 □ 안에 알맞은 수를 써넣으세요.

175 × 29를 어림셈하기

175는 200 으로, 29는 30 으로 각각 어림할 수 있습니다.

그러므로, 175 × 29는 200 × 30 = 6000 으로 어림할 수 있습니다.

321 × 54를 어림셈하기

321은 □ 으로, 54는 □ 으로 각각 어림할 수 있습니다.

그러므로, 321 × 54는 □ × □ = □ 으로 어림할 수 있습니다.

446 × 82를 어림셈하기

446은 □ 으로, 82는 □ 으로 각각 어림할 수 있습니다.

그러므로, 446 × 82는 □ × □ = □ 으로 어림할 수 있습니다.

682 × 36을 어림셈하기

682는 □ 으로, 36은 □ 으로 각각 어림할 수 있습니다.

그러므로, 682 × 36은 □ × □ = □ 으로 어림할 수 있습니다.

어림셈하여 가장 가까운 수에 ◯표 하세요.

32 × 19	60 600 6000	16 × 71	140 1400 14000
	30×20=600		
125 × 17	20 200 2000	285 × 19	600 6000 60000
273 × 38	120 1200 12000	318 × 22	60 600 6000
584 × 61	3600 36000 360000	793 × 43	320 3200 32000

(세 자리 수) × (몇십)

각 자리의 위치를 맞추어 빈칸에 알맞은 수를 써넣으세요.

553 × 20 = 11060

		5	5	3
×			2	0
1	1	0	6	0

		2	1	7
×			5	0

		3	4	2
×			4	0

		2	6	2
×			7	0

		4	4	7
×			3	0

		6	3	1
×			2	0

		5	2	5
×			4	0

		3	6	9
×			3	0

		5	1	7
×			3	0

		2	3	8
×			8	0

빈칸에 알맞은 수를 써넣으세요.

		4	5	5
×			3	0
1	3	6	5	0

		6	4	1
×			4	0

		5	4	2
×			6	0

	8	3	7
×		2	0

	4	6	9
×		4	0

	2	4	8
×		7	0

	7	0	4
×		5	0

	3	4	7
×		4	0

	5	6	8
×		3	0

	2	3	6
×		6	0

	8	2	5
×		2	0

	7	4	7
×		4	0

(세 자리 수) × (두 자리 수) (1)

각 자리의 위치를 맞추어 빈칸에 알맞은 수를 써넣으세요.

$$\begin{array}{r} 345 \\ \times\ \ 27 \\ \hline 2415 \end{array} \Rightarrow \begin{array}{r} 345 \\ \times\ \ 27 \\ \hline 2415 \\ 690 \end{array} \Rightarrow \begin{array}{r} 345 \\ \times\ \ 27 \\ \hline 2415 \\ 690 \\ \hline 9315 \end{array} \begin{array}{l} \\ \\ \\ \leftarrow (345\times7) \\ \leftarrow (345\times20) \\ \\ \end{array}$$

$$\begin{array}{r} 252 \\ \times\ \ 36 \\ \hline \square \end{array} \Rightarrow \begin{array}{r} 252 \\ \times\ \ 36 \\ \hline \square \\ \square \end{array} \Rightarrow \begin{array}{r} 252 \\ \times\ \ 36 \\ \hline \square \\ \square \\ \hline \square \end{array}$$

$$\begin{array}{r} 337 \\ \times\ \ 25 \\ \hline \square \end{array} \Rightarrow \begin{array}{r} 337 \\ \times\ \ 25 \\ \hline \square \\ \square \end{array} \Rightarrow \begin{array}{r} 337 \\ \times\ \ 25 \\ \hline \square \\ \square \\ \hline \square \end{array}$$

빈칸에 알맞은 수를 써넣으세요.

		2	2	6
×			3	4
		9	0	4
	6	7	8	
	7	6	8	4

		4	5	8
×			2	1

		3	6	9
×			3	2

		3	5	5
×			4	6

		6	1	4
×			3	7

		6	0	5
×			2	9

		7	5	4
×			1	6

		5	5	3
×			2	6

		2	8	6
×			4	2

빈칸에 알맞은 수를 써넣으세요.

1 6 9 × 5 2	2 6 4 × 3 8	5 0 8 × 2 4
4 2 8 × 3 4	6 6 3 × 1 9	2 9 1 × 5 3
6 3 8 × 2 7	5 7 8 × 4 6	3 5 1 × 7 2

(세 자리 수) × (두 자리 수) (2)

각 자리의 위치를 맞추어 빈칸에 알맞은 수를 써넣으세요.

```
      3 3 4
×       4 5
─────────────
    1 6 7 0
  1 3 3 6
─────────────
  1 5 0 3 0
```

```
      3 3 9
×       1 8
─────────────
```

```
      1 6 7
×       3 3
─────────────
```

```
      4 1 5
×       4 2
─────────────
```

```
      1 8 4
×       2 7
─────────────
```

```
      3 3 9
×       1 6
─────────────
```

```
      4 5 8
×       3 2
─────────────
```

```
      5 1 7
×       2 7
─────────────
```

```
      6 2 2
×       1 9
─────────────
```

각 자리의 위치를 맞추어 빈칸에 알맞은 수를 써넣으세요.

	1	6	4
×		5	3

	2	5	6
×		3	2

	4	1	4
×		6	8

	5	3	2
×		2	7

	4	0	9
×		6	4

	6	3	2
×		2	3

	8	4	2
×		1	9

	2	7	4
×		3	5

	2	0	7
×		5	3

Note

소마셈 C5 – 2주차

(세 자리 수) × (두 자리 수) (2)

▶ 1일차 : 잘못된 식 24

▶ 2일차 : 수 상자 26

▶ 3일차 : 곱셈 퍼즐 28

▶ 4일차 : 벌레 먹은 곱셈 30

▶ 5일차 : 문장제 33

1일차 잘못된 식

다음과 같이 계산이 잘못된 곳을 찾아 표시하고, 답을 바르게 고쳐 보세요.

$$\begin{array}{r} 415 \\ \times\quad 48 \\ \hline 3320 \\ \cancel{1660} \\ \hline \cancel{4980} \end{array} \quad \Rightarrow \quad \begin{array}{r} 415 \\ \times\quad 48 \\ \hline 3320 \\ 1660 \\ \hline 19920 \end{array}$$

$$\begin{array}{r} 207 \\ \times\quad 67 \\ \hline 1449 \\ 12042 \\ \hline 121869 \end{array} \quad \Rightarrow$$

$$\begin{array}{r} 354 \\ \times\quad 72 \\ \hline 708 \\ 2478 \\ \hline 3186 \end{array} \quad \Rightarrow$$

계산이 잘못된 곳을 찾아 표시하고, 답을 바르게 고쳐 보세요.

```
      8 2 0
×       5 7
-----------
    5 7 4 0
    4 1 0
-----------
    9 8 4 0
```

➡

```
      2 5 0
×       8 4
-----------
      1 0 0
  2 0 0 0
-----------
  2 0 1 0 0
```

➡

```
      6 0 0
×       4 9
-----------
    5 4 0 0
    2 4 0
-----------
    7 8 0 0
```

➡

2일차 수 상자

빈칸에 알맞은 수를 써넣으세요.

145 → × 70 → 10150

286 → × 40 → ( )

527 → × 14 → ( )

192 → × 53 → ( )

372 → × 28 → ( )

449 → × 25 → ( )

빈칸에 알맞은 수를 써넣으세요.

380 → × 27 → ☐

727 → × 30 → ☐

405 → × 62 → ☐

277 → × 80 → ☐

621 → × 37 → ☐

323 → × 41 → ☐

곱셈 퍼즐

□ 안의 수가 양쪽 ○ 안의 두 수의 곱이 되도록 알맞은 수를 써넣으세요.

126×17=2142

126 — 2142 — 17

10080 — □

126×80=10080

80 — □ — 503

158 — □ — 60

3634 — □

23 — □ — 407

604 — 19328 — 32

□ — □

50 — □ — 234

416 — □ — 52

□ — 19760

40 — □ — 380

□ 안의 수가 양쪽 ○ 안의 두 수의 곱이 되도록 알맞은 수를 써넣으세요.

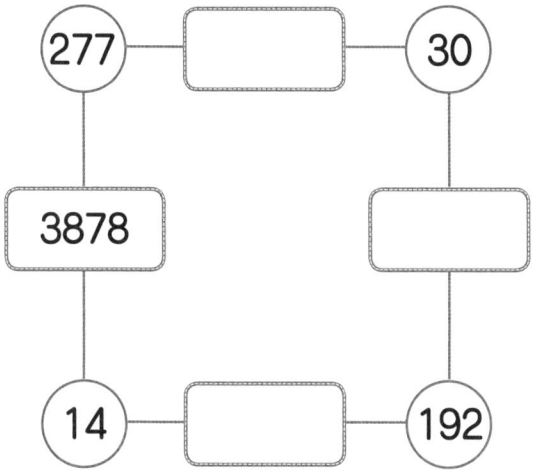

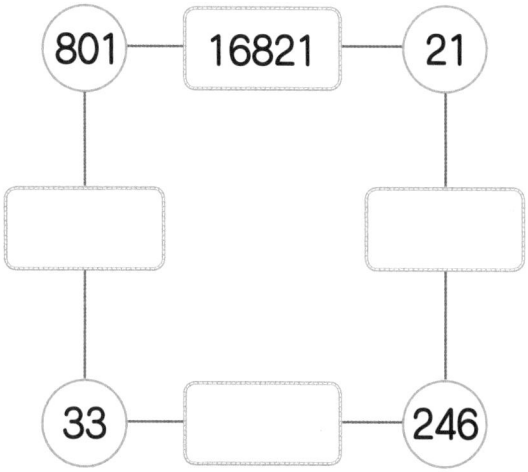

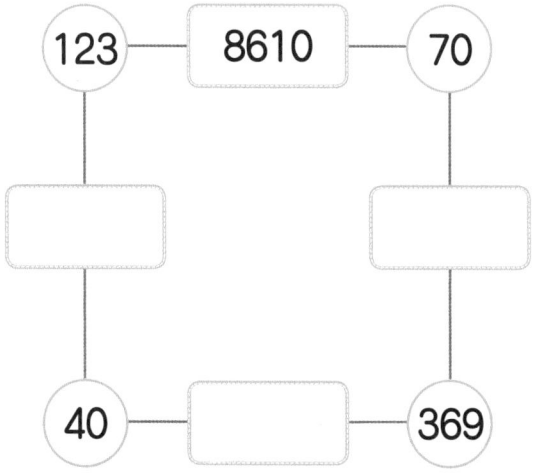

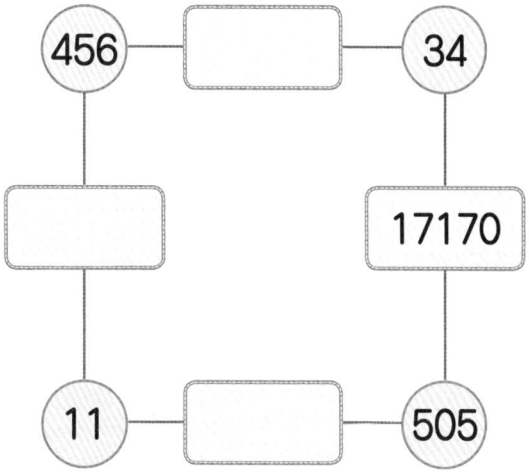

4일차 벌레 먹은 곱셈

빈칸에 알맞은 수를 써넣으세요.

		5	8	[0]
×			5	0
[2]	9	0	0	0

		[ ]	1	3
×			4	[ ]
1	6	5	2	0

		3	1	6
×			4	[7]
	2	2	1	2
1	2	[6]	4	
1	4	[8]	5	2

		4	[ ]	5
×			4	8
	3	4	8	0
1	[ ]	4	0	
2	[ ]	8	8	0

		2	6	[ ]
×			5	3
		8	0	1
1	3	[ ]	5	
1	[ ]	[ ]	5	1

		5	2	[ ]
×			3	4
	2	[ ]	0	4
1	5	[ ]	8	
1	7	[ ]	8	4

빈칸에 알맞은 수를 써넣으세요.

		3	4	□
×			7	0
2	□	8	0	0

		□	8	9
×			3	□
1	1	6	7	0

		1	9	□
×			8	5
		9	8	0
1	□	□	8	
1	6	□	6	0

		5	7	6
×			3	□
	4	6	0	8
1	□	□	8	
2	□	□	8	8

		3	9	2
×			□	7
	2	□	4	4
3	□	3	6	
3	□	□	0	4

		9	2	8
×			5	□
	4	6	□	0
□	6	4	0	
□	1	0	□	0

빈칸에 알맞은 수를 써넣으세요.

		□	7	5
×			4	□
3	5	0	0	0

		8	□	3
×			4	□
3	2	9	2	0

		1	□	7
×			8	□
	1	0	2	9
1	1	□	6	
1	2	□	8	9

		7	□	4
×			3	□
	3	5	2	0
2	1	□	2	
2	4	□	4	0

		4	□	3
×			6	□
	2	8	9	1
□	4	□	8	
2	7	□	7	1

		5	2	□
×			□	9
	4	□	□	1
1	0	5	8	
1	5	□	4	1

문장제

다음을 읽고 알맞은 곱셈식을 쓰고, 답을 구하세요.

정은이네 농장에서 토끼를 기르는 데 하루에 463개의 당근을 먹이로 준다고 합니다. 20일 동안 먹이로 준 당근은 모두 몇 개일까요?

식 : 463 × 20 = 9260

개

어느 공장에서 장난감 인형을 한 개 만드는데 드는 돈은 635원입니다. 이 공장에서 장난감 인형을 17개 만드는데 드는 돈은 모두 얼마일까요?

식 :

원

다음을 읽고 알맞은 곱셈식을 쓰고, 답을 구하세요.

희주는 한 장에 270원인 색도화지를 한 묶음에 10장씩 2묶음과 낱개 7장을 샀습니다. 도화지 값은 모두 얼마일까요?

식 :

원

공장에서 컴퓨터를 하루에 73대씩 생산한다고 합니다. 1년을 365일로 계산한다면, 이 공장에서 1년 동안 생산하는 컴퓨터는 모두 몇 대일까요?

식 :

대

다음을 읽고 알맞은 곱셈식을 쓰고, 답을 구하세요.

테이프가 한 상자에 476개씩 들어 있습니다. 36상자에 들어 있는 테이프는 모두 몇 개일까요?

식 :

개

준희네 학교 학생들 240명은 일년 동안 각각 25권씩 책을 읽었습니다. 준희네 학교 학생들이 일년 동안 읽은 책은 모두 몇 권일까요?

식 :

권

경호는 한 권에 326원인 공책을 한 묶음에 10권씩 3묶음과 낱개 4권을 샀습니다. 공책 값은 모두 얼마일까요?

식 :

원

다음을 읽고 알맞은 곱셈식을 쓰고, 답을 구하세요.

승은이는 문방구에서 한 개에 570원 하는 가위를 23개 사려고 합니다. 승은이는 얼마를 내야할까요?

식 :

원

박물관 입장료는 1인당 855원입니다. 19명의 학생이 박물관에 입장하려면 내야 할 입장료는 모두 얼마일까요?

식 :

원

지혜네 할아버지는 오늘로 만 68세가 되셨습니다. 1년을 365일로 계산한다면, 지혜네 할아버지는 어제까지 며칠을 사신 셈일까요?

식 :

일

소마셈 C5 – 3주차

(네 자리 수) × (두 자리 수)

▶ 1일차 : 0으로 끝나는 두 수의 곱 38

▶ 2일차 : (네 자리 수)×(몇십) 41

▶ 3일차 : (네 자리 수)×(두 자리 수) 43

▶ 4일차 : 세 수의 곱셈 46

▶ 5일차 : 문장제 50

1일차 0으로 끝나는 두 수의 곱

다음과 같이 0으로 끝나는 두 수의 곱을 해 보세요.

200의 300배 ➡ 200 × 300 = 6 0 0 0 0

200의 3000배 ➡ 200 × 3000 = 6 0 0 0 0 0

30의 500배 ➡ 30 × 500 = ☐

30의 5000배 ➡ 30 × 5000 = ☐

400의 200배 ➡ 400 × 200 = ☐

400의 2000배 ➡ 400 × 2000 = ☐

TIP

0으로 끝나는 두 수의 곱은 0을 제외한 (몇)×(몇)을 계산한 다음, 그 곱에 곱하는 수의 0의 개수만큼 0을 붙이면 됩니다.

다음과 같이 0으로 끝나는 두 수의 곱을 해 보세요.

20의 130배 ➡ 20 × 130 = 2600

20의 1300배 ➡ 20 × 1300 = 26000

60의 140배 ➡ 60 × 140 = ☐

60의 1400배 ➡ 60 × 1400 = ☐

40의 360배 ➡ 40 × 360 = ☐

40의 3600배 ➡ 40 × 3600 = ☐

130의 700배 ➡ 130 × 700 = ☐

130의 7000배 ➡ 130 × 7000 = ☐

□ 안에 알맞은 수를 써넣으세요.

70 × 600 = 4 2 0 0 0

30 × 1300 = 3 9 0 0 0

50 × 300 = □

30 × 2600 = □

400 × 300 = □

140 × 300 = □

20 × 6000 = □

230 × 600 = □

60 × 720 = □

80 × 1200 = □

300 × 700 = □

600 × 3000 = □

(네 자리 수) × (몇십)

각 자리의 위치를 맞추어 빈칸에 알맞은 수를 써넣으세요.

4563 × 20 = 91260

	4	5	6	3
×			2	0
9	1	2	6	0

	3	9	2	3
×			3	0

	2	7	6	1
×			6	0

	1	8	3	4
×			5	0

	2	5	5	3
×			7	0

	5	1	5	4
×			4	0

	2	7	6	2
×			6	0

	1	4	6	8
×			8	0

	3	2	5	7
×			3	0

	4	2	1	5
×			5	0

빈칸에 알맞은 수를 써넣으세요.

		3	4	5	2
×				6	0
2	0	7	1	2	0

		2	0	6	8
×				4	0

		4	5	2	2
×				3	0

	1	8	2	4
×			7	0

	3	2	8	4
×			2	0

	4	4	8	1
×			5	0

	6	2	3	5
×			2	0

	5	8	4	9
×			3	0

	2	6	6	6
×			6	0

	3	7	9	3
×			5	0

	2	8	6	3
×			8	0

	6	1	7	4
×			4	0

(네 자리 수)×(두 자리 수)

각 자리의 위치를 맞추어 빈칸에 알맞은 수를 써넣으세요.

```
   2 2 5 6
×        3 8
-----------
1 8 0 4 8
```

➡

```
   2 2 5 6
×        3 8
-----------
1 8 0 4 8
6 7 6 8
```

➡

```
   2 2 5 6
×        3 8
-----------
1 8 0 4 8
6 7 6 8
-----------
8 5 7 2 8
```

```
   3 7 4 2
×        2 6
-----------
[          ]
```

➡

```
   3 7 4 2
×        2 6
-----------
  [        ]
[          ]
```

➡

```
   3 7 4 2
×        2 6
-----------
  [        ]
[          ]
-----------
[          ]
```

```
   5 9 8 4
×        3 5
-----------
[          ]
```

➡

```
   5 9 8 4
×        3 5
-----------
  [        ]
[          ]
```

➡

```
   5 9 8 4
×        3 5
-----------
  [        ]
[          ]
-----------
[          ]
```

빈칸에 알맞은 수를 써넣으세요.

4275 × 16 25650 4275 68400	3927 × 32 □ □ □	1885 × 43 □ □ □
3557 × 36 □ □ □	4284 × 27 □ □ □	3358 × 19 □ □ □
4525 × 22 □ □ □	5674 × 15 □ □ □	2284 × 36 □ □ □

빈칸에 알맞은 수를 써넣으세요.

2468 × 37	3576 × 28	5572 × 51
4083 × 36	1786 × 47	6404 × 28
1596 × 49	4254 × 37	3846 × 19

4일차 세 수의 곱셈

세 수의 곱셈을 하는 방법을 알아보고, □ 안에 알맞은 수를 써넣으세요.

17 × 5 × 4 = 340

85

340

17 × 5 × 4 = 340

20

340

36 × 2 × 9 = □

24 × 6 × 5 = □

8 × 45 × 12 = □

17 × 20 × 2 = □

TIP

세 수의 곱셈은 순서를 바꾸어 곱해도 계산 결과가 같으므로 먼저 뒤의 두 수를 곱하고, 그 곱에 처음의 수를 곱하는 것이 편리할 수도 있습니다.

□ 안에 알맞은 수를 써넣으세요.

$6 \times 325 \times 3 = \boxed{1950} \times 3 = \boxed{5850}$

$$\begin{array}{r} 6 \\ \times\ 3\ 2\ 5 \\ \hline 1\ 9\ 5\ 0 \end{array} \qquad \begin{array}{r} 1\ 9\ 5\ 0 \\ \times\qquad 3 \\ \hline 5\ 8\ 5\ 0 \end{array}$$

$4 \times 248 \times 5 = \boxed{} \times 5 = \boxed{}$

$$\begin{array}{r} 4 \\ \times\ 2\ 4\ 8 \\ \hline \end{array} \qquad \begin{array}{r} \\ \times\qquad 5 \\ \hline \end{array}$$

$6 \times 273 \times 8 = \boxed{} \times 8 = \boxed{}$

$$\begin{array}{r} 6 \\ \times\ 2\ 7\ 3 \\ \hline \end{array} \qquad \begin{array}{r} \\ \times\qquad 8 \\ \hline \end{array}$$

□ 안에 알맞은 수를 써넣으세요.

137 × 6 × 45 = 822 × 45 = 36990

```
  1 3 7
  ×   6
  -----
  8 2 2

  8 2 2
  ×   4 5
  -------
    4 1 1 0
  3 2 8 8
  -------
  3 6 9 9 0
```

27 × 35 × 46 = □ × 46 = □

```
    2 7
  × 3 5
  -----
  □□□□
  □□□
  -----
  □□□□

  □□□□
  ×     4 6
  -------
    □□□□
  □□□□
  -------
  □□□□□
```

□ 안에 알맞은 수를 써넣으세요.

186 × 7 × 34 = □ × 34 = □

```
    1 8 6
×       7
─────────
  □
```

```
×     3 4
─────────
  □
□
─────────
  □
```

47 × 28 × 52 = □ × 52 = □

```
    4 7
×   2 8
─────────
  □
□
─────────
  □
```

```
×     5 2
─────────
  □
□
─────────
  □
```

5일차 문장제

다음을 읽고 알맞은 곱셈식을 쓰고, 답을 구하세요.

옷 가게에서 티셔츠 한 장은 1564원입니다. 선주네 반 친구들 35명이 단체로 구입하여 함께 맞춰 입기로 했습니다. 티셔츠 값은 모두 얼마일까요?

식 : 1564 × 35 = 54740

원

현지는 6명의 친구들과 각자 동화책을 하루에 27쪽씩 일주일 동안 읽기로 했습니다. 현지와 친구들이 일주일 동안 읽을 동화책은 모두 몇 쪽일까요?

식 :

쪽

다음을 읽고 알맞은 곱셈식을 쓰고, 답을 구하세요.

시험지를 한 시간에 2254장 인쇄할 수 있는 기계가 있습니다. 오늘 이 기계로 오전에는 4시간 동안 인쇄를 하고, 오후에는 6시간 동안 인쇄를 했습니다. 오늘 인쇄한 시험지는 모두 몇 장일까요?

식 :

장

자전거를 한 대 팔면 이익이 5320원입니다. 자전거 38대를 팔면 이익은 모두 얼마일까요?

식 :

원

다음을 읽고 알맞은 곱셈식을 쓰고, 답을 구하세요.

형민이네 학교 학생은 1347명입니다. 형민이네 학교에서는 학생들에게 공책을 20권씩 나누어 주려고 합니다. 필요한 공책은 모두 몇 권일까요?

식 :

권

어느 공장에서 모자 한 개를 만드는 데 2631원이 듭니다. 모자 46개를 만드는 데 드는 비용은 모두 얼마일까요?

식 :

원

농장에 암탉이 34마리 있습니다. 암탉 한 마리가 일주일에 달걀을 5개씩 낳는다고 합니다. 이 암탉들이 25주 동안 달걀을 낳았다면 달걀은 모두 몇 개일까요?

식 :

개

다음을 읽고 알맞은 곱셈식을 쓰고, 답을 구하세요.

하은이네 과수원에서 수확한 자두는 한 상자에 5340원에 팝니다. 어제는 5상자를 팔고, 오늘은 7상자를 팔았습니다. 어제와 오늘 판매한 자두는 모두 얼마일까요?

식 :

원

정현이는 한 자루에 195원 하는 연필을 8타 샀습니다. 정현이가 낸 연필의 값은 얼마일까요?

식 :

원

과일 가게에서 멜론 한 개의 값은 4780원입니다. 이 과일 가게에서 판매하는 멜론 24개의 값은 얼마일까요?

식 :

원

Note

소마셈 C5 – 4주차

곱셈식 만들기

▶ 1일차 : 목표수 만들기 56

▶ 2일차 : 곱이 가장 큰 식 (1) 59

▶ 3일차 : 곱이 가장 큰 식 (2) 65

▶ 4일차 : 곱이 가장 작은 식 (1) 69

▶ 5일차 : 곱이 가장 작은 식 (2) 75

1 일 차 목표수 만들기

수 카드 2장을 골라 곱셈식을 완성하세요.(단, 큰 수를 왼쪽에 씁니다.)

3 15 2 18 27

27 × 3 = 81

2 6 16 24 19

□ × □ = 114

3 8 14 34 12

□ × □ = 102

2 21 5 13 43

□ × □ = 86

4 31 22 8 12

□ × □ = 176

13 17 3 5 26

□ × □ = 130

수 카드 2장을 골라 곱셈식을 완성하세요.(단, 큰 수를 왼쪽에 씁니다.)

10 20
30 40 50

30 × ☐ = 600

10 20
15 16 36

☐ × ☐ = 160

11 12
10 20 30

☐ × ☐ = 360

10 13
16 20 25

☐ × ☐ = 500

14 20
30 60 12

☐ × ☐ = 420

10 20
34 14 25

☐ × ☐ = 680

숫자 카드를 모두 사용하여 곱셈식을 완성하세요.

3 6 7	6 7 × 3 = 201
2 4 8	□□ × □ = 112
1 5 9	□□ × □ = 459
2 3 6	□□ × □ = 186
1 2 5 6	□□□ × □ = 330
1 3 4 7	□□□ × □ = 441

곱이 가장 큰 식 (1)

(두 자리 수)×(한 자리 수)에서 숫자 카드를 한번씩 사용하여 곱셈식을 만들 때, 곱을 가장 크게 만드는 방법을 알아보세요.

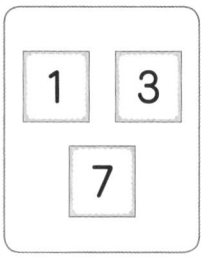

가장 클 때

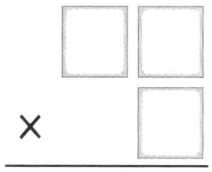

(1) 곱을 가장 크게 만들려면 색칠된 칸에 들어가야 할 수는 무엇인지 써 보세요.

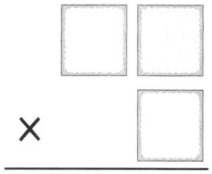

(2) 남은 수를 넣어서 만들 수 있는 두 가지 곱셈식을 계산하여 곱의 크기를 비교해 보세요.

가장 클 때

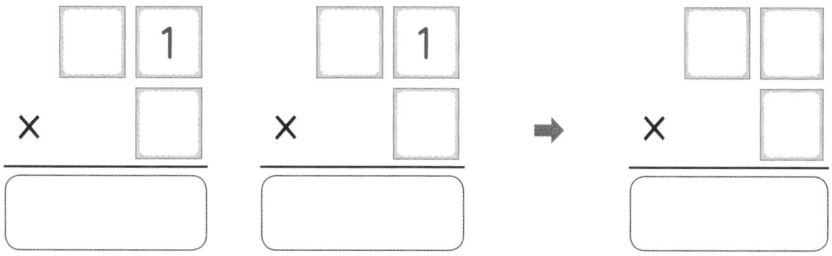

숫자 카드를 한번씩 사용하여 만든 곱셈식 중에서 곱이 가장 클 때의 값을 구해보세요.

1 2 3

	3	1		2	1			2	1
×		2	×		3	➡	×		3
	6	2		6	3			6	3

가장 클 때

~~2~~ 5 6

		2			2				
×			×			➡	×		

가장 클 때

3 8 7

×			×			➡	×		

가장 클 때

TIP

(두 자리 수)×(한 자리 수)에서 곱을 가장 크게 만들려면, 두 자리 수에서 십의 자리 수와 한 자리 수의 곱이 가장 커야 합니다. 이때 만들 수 있는 두 가지 경우를 비교해 보면, 곱하는 한 자리 수에 가장 큰 수가 올 때 곱이 가장 커짐을 알 수 있습니다.

숫자 카드를 한번씩 사용하여 곱이 가장 클 때의 값을 구해보세요.

가장 클 때

~~1~~ 4 8

1
×
_____

가장 클 때

~~2~~ 3 4

2
×
_____

가장 클 때

2 4 9

×
_____

가장 클 때

3 1 6

×
_____

가장 클 때

4 3 7 5

×
_____

가장 클 때

5 9 6 8

×
_____

(세 자리 수)×(한 자리 수)에서 숫자 카드를 한번씩 사용하여 곱셈식을 만들 때, 곱을 가장 크게 만드는 방법을 알아보세요.

1	2
4	5

가장 클 때

□□□
× □
―――――

(1) 곱을 가장 크게 만들려면 색칠된 칸에 들어가야 할 수는 무엇인지 써 보세요.

□□□
× □
―――――

(2) 남은 수를 넣어서 만들 수 있는 두 가지 곱셈식을 계산하여 곱의 크기를 비교해 보세요.

가장 클 때

□ 2 1
× □
―――――
( )

□ 2 1
× □
―――――
( )

➡

□□□
× □
―――――
( )

숫자 카드를 한번씩 사용하여 만든 곱셈식 중에서 곱이 가장 클 때의 값을 구해보세요.

1 2
3 4

		4	2	1			3	2	1		가장 클 때
×				3	×				4	➡ ×	4
1	2	6	3		1	2	8	4		1 2 8 4	

1 3
5 7

			3	1			3	1			가장 클 때
×					×					➡ ×	

2 6
4 8

											가장 클 때
×					×					➡ ×	

TIP

(세 자리 수)×(한 자리 수)에서 곱을 가장 크게 만들려면, 세 자리 수에서 백의 자리 수와 한 자리 수의 곱이 가장 커야 합니다. 이때 만들 수 있는 두 가지 경우를 비교해 보면, 곱하는 한 자리 수에 가장 큰 수가 올 때 곱이 가장 커짐을 알 수 있습니다.

숫자 카드를 한번씩 사용하여 곱이 가장 클 때의 값을 구해보세요.

~~1~~ ~~2~~ 3 7

가장 클 때

□ 2 1
× □
□

~~2~~ ~~3~~ 4 5

가장 클 때

□ 3 2
× □
□

2 1 6 9

가장 클 때

□ □ □
× □
□

2 4 5 8

가장 클 때

□ □ □
× □
□

3 4 6 7 5

가장 클 때

□ □ □
× □
□

5 7 9 8 6

가장 클 때

□ □ □
× □
□

곱이 가장 큰 식 (2)

(두 자리 수)×(두 자리 수)에서 숫자 카드를 한번씩 사용하여 곱셈식을 만들 때, 곱을 가장 크게 만드는 방법을 알아보세요.

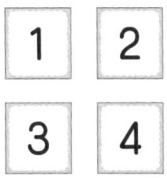

가장 클 때

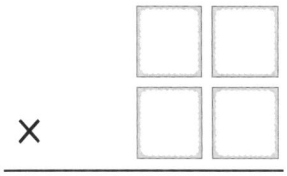

(1) 곱을 가장 크게 만들려면 색칠된 칸에 들어가야 할 수는 무엇인지 써 보세요. (단, 큰 수를 위쪽에 씁니다.)

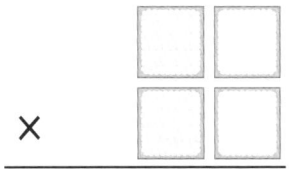

(2) 남은 수를 넣어서 만들 수 있는 두 가지 곱셈식을 계산하여 곱의 크기를 비교해 보세요.

가장 클 때

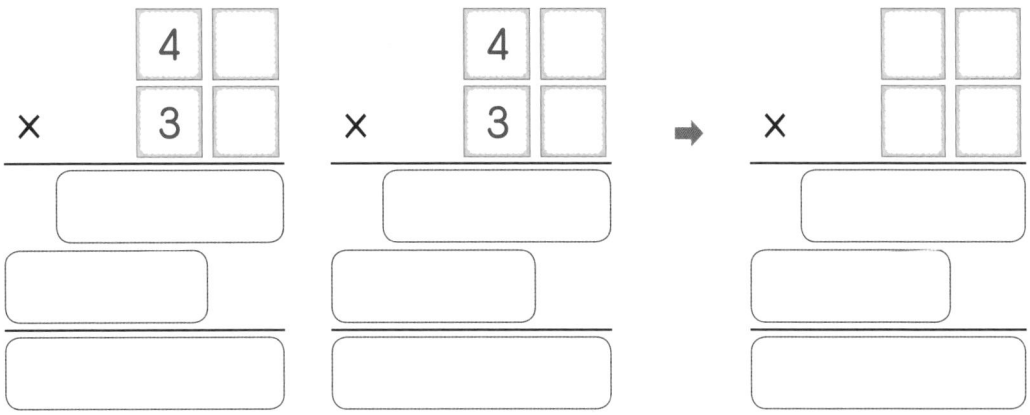

숫자 카드를 한번씩 사용하여 만든 곱셈식 중에서 곱이 가장 클 때의 값을 구해보세요.

2 3
4 5

		5	3
×		4	2
	1	0	6
2	1	2	
2	2	2	6

		5	2
×		4	3
	1	5	6
2	0	8	
2	2	3	6

➡

가장 클 때

		5	2
×		4	3
	1	5	6
2	0	8	
2	2	3	6

2 3 ~~5~~ ~~6~~

		6	
×		5	

		6	
×		5	

➡

가장 클 때

×			

TIP

(두 자리 수)×(두 자리 수)에서 곱을 가장 크게 만들려면, 네 숫자 중 큰 두 숫자가 십의 자리에 오고, 다음 큰 숫자는 가장 큰 숫자와 곱해질 수 있도록 배치하면 됩니다.

숫자 카드를 한번씩 사용하여 곱이 가장 클 때의 값을 구해보세요. (단, 큰 수를 위쪽에 씁니다.)

가장 클 때

1 3

~~4~~ ~~6~~

6

× 4

가장 클 때

2 4

6 7

×

가장 클 때

2 6

8 5

×

가장 클 때

1 7

9 5

×

숫자 카드를 한번씩 사용하여 곱이 가장 클 때의 값을 구해보세요. (단, 큰 수를 위쪽에 씁니다.)

가장 클 때

1 4 5 ~~6~~ ~~8~~

× 8 6

가장 클 때

1 4 5 3 9

×

가장 클 때

2 4 3 5 6

×

가장 클 때

1 6 2 5 8

×

곱이 가장 작은 식 (1)

(두 자리 수)×(한 자리 수)에서 숫자 카드를 한번씩 사용하여 곱셈식을 만들 때, 곱을 가장 작게 만드는 방법을 알아보세요.

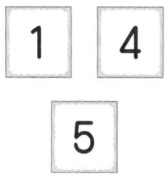

가장 작을 때

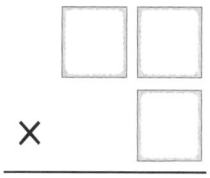

(1) 곱을 가장 작게 만들려면 색칠된 칸에 들어가야 할 수는 무엇인지 써 보세요.

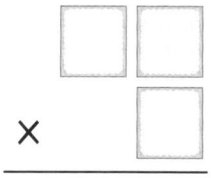

(2) 남은 수를 넣어서 만들 수 있는 두 가지 곱셈식을 계산하여 곱의 크기를 비교해 보세요.

가장 작을 때

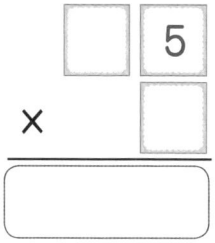

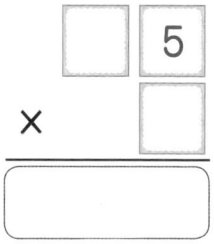

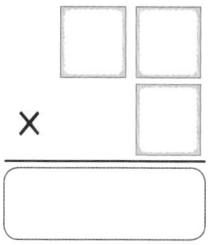

숫자 카드를 한번씩 사용하여 만든 곱셈식 중에서 곱이 가장 작을 때의 값을 구해보세요.

1 2 3

	1	3		2	3		2	3
×		2	×		1	➡ ×		1
	2	6		2	3		2	3

가장 작을 때

2 6 ~~7~~

		7			7			
×			×			➡ ×		

가장 작을 때

4 6 5

×			×			➡ ×		

가장 작을 때

TIP

(두 자리 수)×(한 자리 수)에서 곱을 가장 작게 만들려면, 두 자리 수에서 십의 자리 수와 한 자리 수의 곱이 가장 작아야 합니다. 이때 만들 수 있는 두 가지 경우를 비교해 보면, 곱하는 한 자리 수에 가장 작은 수가 올 때 곱이 가장 작아짐을 알 수 있습니다.

숫자 카드를 한번씩 사용하여 곱이 가장 작을 때의 값을 구해보세요.

가장 작을 때

1 2 ~~9~~

□ 9
× □
□

가장 작을 때

~~5~~ 2 3

□ 5
× □
□

가장 작을 때

3 5 4

□ □
× □
□

가장 작을 때

2 6 7

□ □
× □
□

가장 작을 때

4 5 7 8

□ □
× □
□

가장 작을 때

4 2 8 9

□ □
× □
□

(세 자리 수)×(한 자리 수)에서 숫자 카드를 한번씩 사용하여 곱셈식을 만들 때, 곱을 가장 작게 만드는 방법을 알아보세요.

1	2
4	5

가장 작을 때

□□□
× □
―――――

(1) 곱을 가장 작게 만들려면 색칠된 칸에 들어가야 할 수는 무엇인지 써 보세요.

□□□
× □
―――――

(2) 남은 수를 넣어서 만들 수 있는 두 가지 곱셈식을 계산하여 곱의 크기를 비교해 보세요.

가장 작을 때

□45 × □ = ( )

□45 × □ = ( )

➡

□□□ × □ = ( )

숫자 카드를 한번씩 사용하여 만든 곱셈식 중에서 곱이 가장 작을 때의 값을 구해보세요.

1 2
3 4

	1	3	4
×			2
	2	6	8

	2	3	4
×			1
	2	3	4

➡ 가장 작을 때

	2	3	4
×			1
	2	3	4

1 4
~~5~~ ~~6~~

		5	6
×			

		5	6
×			

➡ 가장 작을 때

×			

2 7
8 5

×			

×			

➡ 가장 작을 때

×			

TIP

(세 자리 수)×(한 자리 수)에서 곱을 가장 작게 만들려면, 세 자리 수에서 백의 자리 수와 한 자리 수의 곱이 가장 작아야 합니다. 이때 만들 수 있는 두 가지 경우를 비교해 보면, 곱하는 한 자리 수에 가장 작은 수가 올 때 곱이 가장 작아짐을 알 수 있습니다.

숫자 카드를 한번씩 사용하여 곱이 가장 작을 때의 값을 구해보세요.

1 2 ~~3~~ ~~5~~

가장 작을 때

□ 3 5
× □
□

1 3 ~~5~~ ~~6~~

가장 작을 때

□ 5 6
× □
□

2 8 6 4

가장 작을 때

□ □ □
× □
□

5 7 6 1

가장 작을 때

□ □ □
× □
□

2 7 5 3 8

가장 작을 때

□ □ □
× □
□

5 7 6 8 9

가장 작을 때

□ □ □
× □
□

곱이 가장 작은 식 (2)

(두 자리 수)×(두 자리 수)에서 숫자 카드를 한번씩 사용하여 곱셈식을 만들 때, 곱을 가장 작게 만드는 방법을 알아보세요.

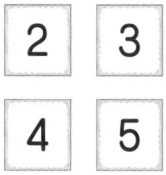

가장 작을 때

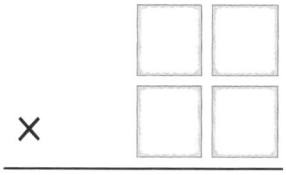

(1) 곱을 가장 작게 만들려면 색칠된 칸에 들어가야 할 수는 무엇인지 써 보세요. (단, 작은 수를 위쪽에 씁니다.)

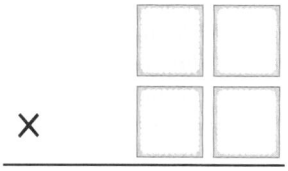

(2) 남은 수를 넣어서 만들 수 있는 두 가지 곱셈식을 계산하여 곱의 크기를 비교해 보세요.

가장 작을 때

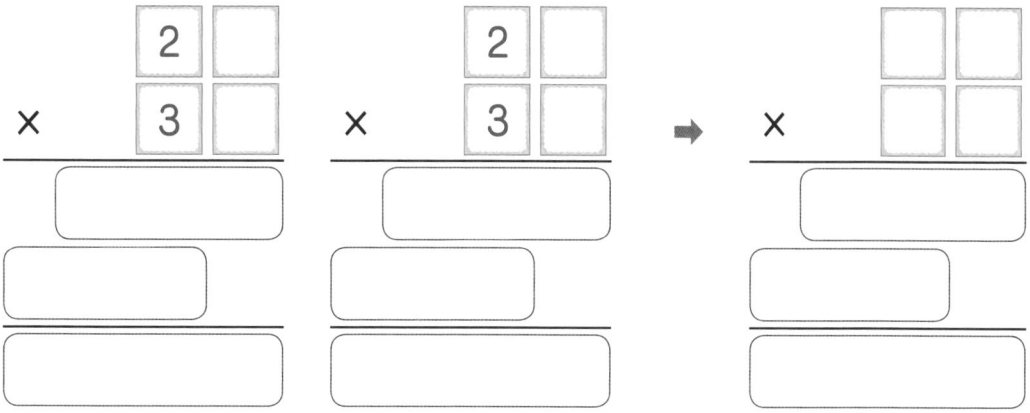

숫자 카드를 한번씩 사용하여 만든 곱셈식 중에서 곱이 가장 작을 때의 값을 구해보세요.

가장 작을 때

1	2
3	4

		1	4
×		2	3
		4	2
	2	8	
	3	2	2

		1	3
×		2	4
		5	2
	2	6	
	3	1	2

➡

		1	3
×		2	4
		5	2
	2	6	
	3	1	2

~~2~~ ~~3~~ 4 7

가장 작을 때

		2	
×		3	

		2	
×		3	

➡

×			

TIP

(두 자리 수)×(두 자리 수)에서 곱을 가장 작게 만들려면, 네 숫자 중 작은 두 숫자가 십의 자리에 오고, 남은 일의 자리 숫자와의 곱이 큰 수끼리 곱해지지 않도록 수를 배치하면 됩니다.

숫자 카드를 한번씩 사용하여 곱이 가장 작을 때의 값을 구해보세요. (단, 작은 수를 위쪽에 씁니다.

가장 작을 때

~~1~~ ~~3~~

4 5

1 ☐
× 3 ☐

가장 작을 때

4 3

2 8

☐ ☐
× ☐ ☐

가장 작을 때

2 4

6 8

☐ ☐
× ☐ ☐

가장 작을 때

3 8

1 9

☐ ☐
× ☐ ☐

숫자 카드를 한번씩 사용하여 곱이 가장 작을 때의 값을 구해보세요. (단, 작은 수를 위쪽에 씁니다.

가장 작을 때

~~1~~ ~~2~~ 6 8 9

1 □
× 2 □

가장 작을 때

6 7 1 8 5

□ □
× □ □

가장 작을 때

5 2 9 8 3

□ □
× □ □

가장 작을 때

3 4 9 7 5

□ □
× □ □

보충학습

Drill

(세 자리 수)×(두 자리 수) (1)

빈칸에 알맞은 수를 써넣으세요.

157 × 30 =	562 × 40 =	237 × 50 =
731 × 20 =	624 × 40 =	257 × 60 =
822 × 40 =	306 × 80 =	527 × 50 =
226 × 90 =	814 × 20 =	446 × 70 =

빈칸에 알맞은 수를 써넣으세요.

3 5 2 × 4 0 □	5 6 8 × 2 0 □	2 7 5 × 6 0 □
8 2 6 × 4 0 □	3 6 5 × 6 0 □	8 0 4 × 5 0 □
6 7 8 × 7 0 □	5 6 2 × 4 0 □	2 3 7 × 8 0 □
3 1 8 × 8 0 □	6 5 4 × 6 0 □	8 9 2 × 2 0 □

빈칸에 알맞은 수를 써넣으세요.

238 × 20 =	288 × 30 =	420 × 60 =
706 × 40 =	382 × 30 =	507 × 70 =
426 × 60 =	419 × 80 =	518 × 90 =
456 × 40 =	678 × 40 =	388 × 20 =

빈칸에 알맞은 수를 써넣으세요.

746 × 70 □	465 × 50 □	608 × 30 □
661 × 20 □	404 × 40 □	237 × 90 □
412 × 80 □	556 × 60 □	309 × 40 □
870 × 50 □	423 × 70 □	796 × 30 □

빈칸에 알맞은 수를 써넣으세요.

		1	5	7
×			6	3

		2	4	7
×			1	8

		5	3	2
×			3	4

		4	0	6
×			2	8

		1	2	3
×			3	2

		2	8	2
×			3	6

		5	4	5
×			6	1

		3	7	9
×			2	5

		1	5	8
×			2	2

빈칸에 알맞은 수를 써넣으세요.

2 0 7 × 3 5	1 6 8 × 4 5	4 3 2 × 1 7
3 1 9 × 4 1	5 6 2 × 2 7	3 9 2 × 5 3
4 5 8 × 1 7	1 6 8 × 7 4	2 4 9 × 5 2

빈칸에 알맞은 수를 써넣으세요.

	4	0	6
×		2	2

	4	1	2
×		5	6

	2	8	7
×		2	3

	1	1	9
×		6	3

	2	6	3
×		1	8

	3	7	9
×		4	8

	4	0	8
×		2	6

	5	3	5
×		3	8

	7	0	8
×		5	2

빈칸에 알맞은 수를 써넣으세요.

3 4 7 × 2 9	1 7 7 × 4 3	4 0 4 × 3 8
3 4 9 × 2 8	6 2 1 × 1 8	7 0 4 × 4 2
6 6 2 × 1 3	3 2 7 × 1 9	2 2 6 × 3 2

(세 자리 수)×(두 자리 수) (2)

각 자리의 위치를 맞추어 빈칸에 알맞은 수를 써넣으세요.

	8	1	2
×		1	2
1	6	2	4
8	1	2	
9	7	4	4

	6	3	3
×		1	3

	1	8	2
×		4	6

	1	5	5
×		4	7

	2	8	9
×		2	9

	3	2	7
×		1	7

	4	0	8
×		3	2

	5	5	2
×		2	3

	7	1	1
×		1	8

각 자리의 위치를 맞추어 빈칸에 알맞은 수를 써넣으세요.

	1	6	5
×		5	2

	2	6	6
×		3	4

	4	8	2
×		6	2

	5	4	7
×		2	7

	5	0	7
×		5	5

	1	8	4
×		2	4

	3	4	2
×		1	8

	2	8	9
×		8	2

	3	3	7
×		1	8

각 자리의 위치를 맞추어 빈칸에 알맞은 수를 써넣으세요.

	2	8	9
×		1	5

	5	2	4
×		1	5

	2	2	8
×		8	1

	3	1	4
×		4	2

	3	0	9
×		7	7

	6	2	3
×		1	6

	1	9	2
×		3	9

	4	7	5
×		5	8

	6	3	9
×		8	2

각 자리의 위치를 맞추어 빈칸에 알맞은 수를 써넣으세요.

	4	0	3
×		2	8

	7	1	5
×		3	6

	3	7	2
×		7	1

	4	2	8
×		1	8

	6	2	6
×		2	9

	5	0	4
×		3	3

	3	2	8
×		7	2

	6	6	2
×		1	9

	3	4	5
×		5	4

빈칸에 알맞은 수를 써넣으세요.

183 → × 20 → ☐

427 → × 19 → ☐

183 → × 42 → ☐

325 → × 64 → ☐

174 → × 58 → ☐

519 → × 63 → ☐

빈칸에 알맞은 수를 써넣으세요.

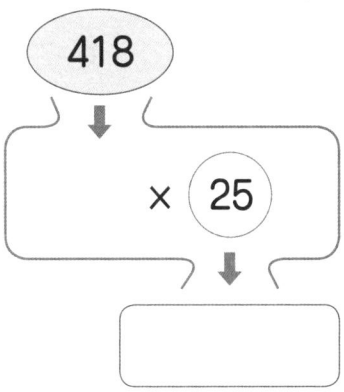

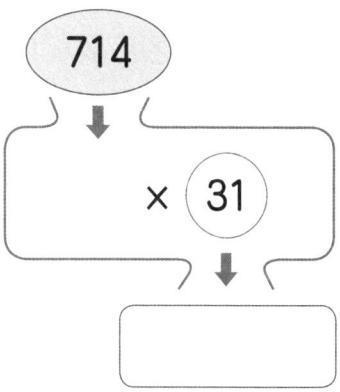

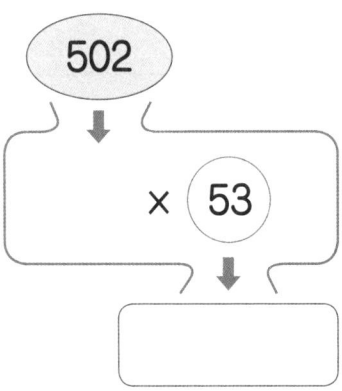

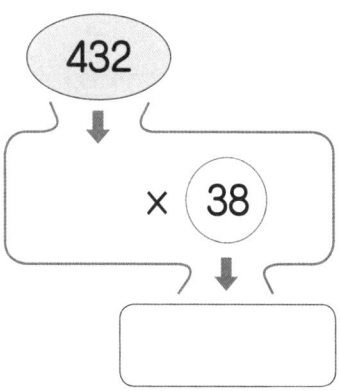

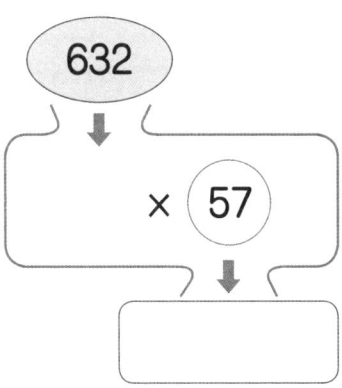

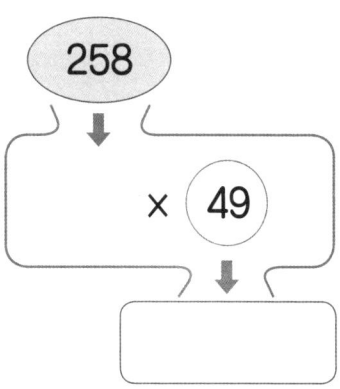

빈칸에 알맞은 수를 써넣으세요.

		3	7	0
×			5	□
1	8	□	0	0

		□	6	9
×			3	0
1	4	0	□	0

		2	3	7
×			4	□
	1	4	2	2
	9	□	8	
1	0	□	0	2

		3	6	□
×			5	4
	1	4	□	8
1	8	1	0	
1	□	5	4	8

		3	5	□
×			4	2
		7	1	4
1	4	□	□	
1	4	9	□	4

		5	3	6
×			□	9
	4	8	2	□
2	1	□	4	
2	6	□	6	4

빈칸에 알맞은 수를 써넣으세요.

		4	5	□
×			8	0
3	□	0	0	0

		5	2	□
×			3	0
1	□	8	4	0

		3	□	1
×			6	4
	1	□	0	4
2	□	0	6	
2	2	□	6	4

		□	2	9
×			3	8
	3	4	□	□
1	□	8	7	
1	6	3	0	2

		5	1	8
×			□	6
	3	1	□	8
2	□	7	□	
2	3	8	2	8

		7	4	3
×			2	□
	3	□	1	5
1	4	8	□	
1	8	□	7	5

(네 자리 수)×(두 자리 수)

빈칸에 알맞은 수를 써넣으세요.

2462 × 50 □	3308 × 40 □	1582 × 70 □
2869 × 20 □	4275 × 30 □	4083 × 60 □
5079 × 20 □	1887 × 40 □	1795 × 60 □
3453 × 60 □	5407 × 20 □	2378 × 70 □

빈칸에 알맞은 수를 써넣으세요.

2773 × 50 □	8011 × 20 □	5362 × 30 □
4275 × 40 □	3482 × 60 □	6201 × 30 □
5443 × 20 □	7027 × 30 □	1896 × 70 □
3624 × 40 □	3188 × 50 □	7234 × 20 □

빈칸에 알맞은 수를 써넣으세요.

1436 × 27	2478 × 19	4232 × 47
3208 × 36	2718 × 36	3881 × 29
5327 × 45	4053 × 32	3566 × 24

빈칸에 알맞은 수를 써넣으세요.

2 0 5 7 × 3 4	3 5 1 2 × 4 8	4 5 0 4 × 1 7
3 6 1 4 × 2 8	2 3 4 6 × 5 2	7 1 3 4 × 1 5
1 8 9 6 × 4 5	5 2 5 2 × 2 6	4 7 4 3 × 1 9

빈칸에 알맞은 수를 써넣으세요.

6005 × 27	2544 × 19	3802 × 23
4123 × 56	1826 × 27	6443 × 19
1827 × 25	3204 × 27	8116 × 71

빈칸에 알맞은 수를 써넣으세요.

2303 × 48	3907 × 33	1777 × 43
3287 × 39	4184 × 22	3058 × 16
4026 × 19	5624 × 24	2824 × 35

빈칸에 알맞은 수를 써넣으세요.

5 × 248 × 6 = 1240 × 6 = 7440

```
      5
  × 2 4 8
  -------
  1 2 4 0
```

```
  1 2 4 0
  × 6
  -------
  7 4 4 0
```

3 × 307 × 4 = ☐ × 4 = ☐

```
      3
  × 3 0 7
  -------
  ☐
```

```
  ☐
  × 4
  -------
  ☐
```

7 × 192 × 6 = ☐ × 6 = ☐

```
      7
  × 1 9 2
  -------
  ☐
```

```
  ☐
  × 6
  -------
  ☐
```

빈칸에 알맞은 수를 써넣으세요.

152 × 5 × 63 = ☐ × 63 = ☐

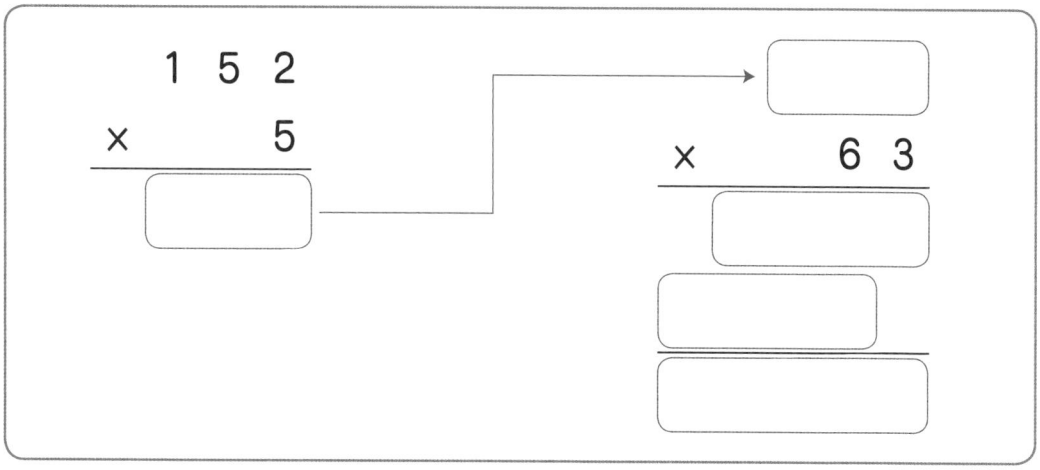

68 × 29 × 37 = ☐ × 37 = ☐

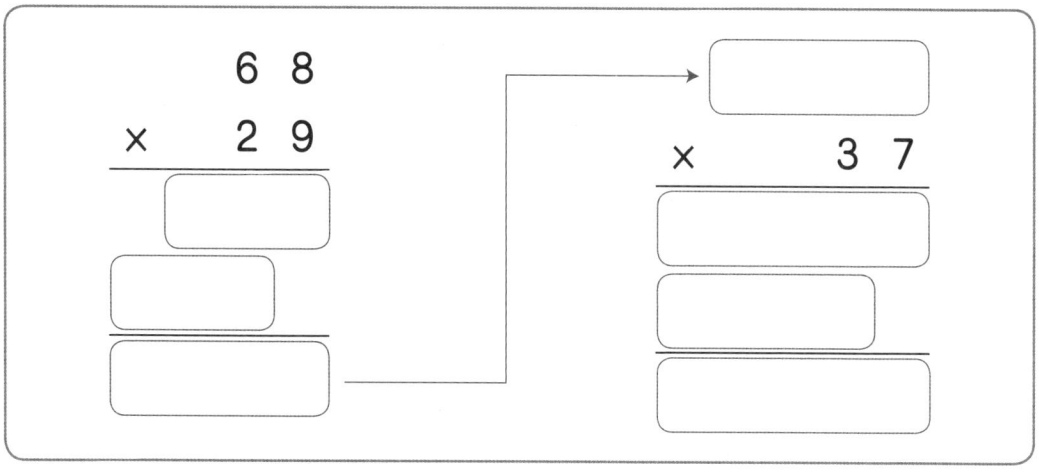

곱셈식 만들기

숫자 카드를 한번씩 사용하여 곱이 가장 클 때의 값을 구해보세요.

2 3 5

가장 클 때

× =

1 5 9

가장 클 때

× =

5 4 6

가장 클 때

× =

4 7 8

가장 클 때

× =

2 4 5 8

가장 클 때

× =

3 6 4 5

가장 클 때

× =

숫자 카드를 한번씩 사용하여 곱이 가장 클 때의 값을 구해보세요.

5 3
2 6

가장 클 때

×

1 4
6 7

가장 클 때

×

2 5
8 9

가장 클 때

×

5 4
7 3

가장 클 때

×

1 4
2
5 7

가장 클 때

×

2 5
4
8 3

가장 클 때

×

숫자 카드를 한번씩 사용하여 곱이 가장 클 때의 값을 구해보세요. (단, 큰 수를 위쪽에 씁니다.)

가장 클 때

2 4

8 9

×

가장 클 때

1 5

3 7

×

가장 클 때

4 7

5 2

×

가장 클 때

5 3

1 6

×

숫자 카드를 한번씩 사용하여 곱이 가장 클 때의 값을 구해보세요. (단, 큰 수를 위쪽에 씁니다.)

가장 클 때

1 3 6 7 8

×

가장 클 때

3 2 5 6 1

×

가장 클 때

3 6 4 1 7

×

가장 클 때

5 3 6 2 9

×

숫자 카드를 한번씩 사용하여 곱이 가장 작을 때의 값을 구해보세요.

2 5 8

가장 작을 때

×

4 6 2

가장 작을 때

×

4 7 2

가장 작을 때

×

9 5 3

가장 작을 때

×

4 2 7 5

가장 작을 때

×

6 7 3 1

가장 작을 때

×

숫자 카드를 한번씩 사용하여 곱이 가장 작을 때의 값을 구해보세요.

3 5
6 9

가장 작을 때

×

2 6
3 1

가장 작을 때

×

8 5
2 3

가장 작을 때

×

6 4
8 7

가장 작을 때

×

5 4
2
9 6

가장 작을 때

×

6 2
3
7 4

가장 작을 때

×

숫자 카드를 한번씩 사용하여 곱이 가장 작을 때의 값을 구해보세요. (단, 작은 수를 위쪽에 씁니다.)

가장 작을 때

2 6

7 9

×

가장 작을 때

5 1

6 8

×

가장 작을 때

3 8

2 9

×

가장 작을 때

6 9

4 3

×

숫자 카드를 한번씩 사용하여 곱이 가장 작을 때의 값을 구해보세요. (단, 작은 수를 위쪽에 씁니다.)

가장 작을 때

1 3 4 6 8

×

가장 작을 때

5 2 4 8 6

×

가장 작을 때

8 3 7 5 6

×

가장 작을 때

4 5 2 3 9

×

Note

소마의 마술같은 원리셈

정답

P 10 ~ 11

1일차 몇백, 몇천의 곱

다음과 같이 몇백, 몇천의 곱을 해 보세요.

14의 200배 ➡ 14 × 200 = 2800

14의 2000배 ➡ 14 × 2000 = 28000

16의 300배 ➡ 16 × 300 = 4800

16의 3000배 ➡ 16 × 3000 = 48000

31의 400배 ➡ 31 × 400 = 12400

31의 4000배 ➡ 31 × 4000 = 124000

TIP
(두 자리 수)×(몇백), (몇천)의 곱은 (두 자리 수)×(몇)을 계산한 다음, 그 곱에 곱하는 수의 0의 개수만큼 0을 붙이면 됩니다.

1주 월 일

□ 안에 알맞은 수를 써넣으세요.

23 × 300 = 6900	26 × 2000 = 52000
17 × 600 = 10200	18 × 5000 = 90000
32 × 200 = 6400	34 × 3000 = 102000
18 × 300 = 5400	46 × 2000 = 92000
41 × 200 = 8200	53 × 2000 = 106000
56 × 200 = 11200	24 × 7000 = 168000

P 12 ~ 13

2일차 어림셈

그림을 보고 어림셈하는 방법을 알아보세요.

127 × 48을 어림셈하기

① 100 127 200 ➡ 127은 100으로 어림할 수 있습니다.

② 40 48 50 ➡ 48은 50으로 어림할 수 있습니다.

③ 127 × 48은 100 × 50 = 5000으로 어림할 수 있습니다.

184 × 53을 어림셈하기

① 100 184 200 184는 200으로 어림할 수 있습니다.

② 50 53 60 53은 50으로 어림할 수 있습니다.

③ 184 × 53은 200 × 50 = 10000 으로 어림할 수 있습니다.

1주 월 일

어림셈하여 □ 안에 알맞은 수를 써넣으세요.

175 × 29를 어림셈하기

175는 200으로, 29는 30으로 각각 어림할 수 있습니다.

그러므로, 175 × 29는 200 × 30 = 6000으로 어림할 수 있습니다.

321 × 54를 어림셈하기

321은 300으로, 54는 50으로 각각 어림할 수 있습니다.

그러므로, 321 × 54는 300 × 50 = 15000으로 어림할 수 있습니다.

446 × 82를 어림셈하기

446은 400으로, 82는 80으로 각각 어림할 수 있습니다.

그러므로, 446 × 82는 400 × 80 = 32000으로 어림할 수 있습니다.

682 × 36을 어림셈하기

682는 700으로, 36은 40으로 각각 어림할 수 있습니다.

그러므로, 682 × 36은 700 × 40 = 28000으로 어림할 수 있습니다.

1주

어림셈하여 가장 가까운 수에 ○표 하세요.

32 × 19	60 / (600) / 6000	16 × 71	140 / (1400) / 14000
125 × 17	20 / 200 / (2000)	285 × 19	600 / (6000) / 60000
273 × 38	120 / 1200 / (12000)	318 × 22	60 / 600 / (6000)
584 × 61	3600 / (36000) / 360000	793 × 43	320 / 3200 / (32000)

30×20=600

3일차

(세 자리 수) × (몇십)

P 14 ~ 15

각 자리의 위치를 맞추어 빈칸에 알맞은 수를 써넣으세요.

553 × 20 = 11060

```
  553
×  20
-----
11060
```

```
  217
×  50
-----
10850
```

```
  342
×  40
-----
13680
```

```
  262
×  70
-----
18340
```

```
  447
×  30
-----
13410
```

```
  631
×  20
-----
12620
```

```
  525
×  40
-----
21000
```

```
  369
×  30
-----
11070
```

```
  517
×  30
-----
15510
```

```
  238
×  80
-----
19040
```


1주 ○월 ○일

빈칸에 알맞은 수를 써넣으세요.

```
  455
×  30
-----
13650
```

```
  641
×  40
-----
25640
```

```
  542
×  60
-----
32520
```

```
  837
×  20
-----
16740
```

```
  469
×  40
-----
18760
```

```
  248
×  70
-----
17360
```

```
  704
×  50
-----
35200
```

```
  347
×  40
-----
13880
```

```
  568
×  30
-----
17040
```

```
  236
×  60
-----
14160
```

```
  825
×  20
-----
16500
```

```
  747
×  40
-----
29880
```


4일차

(세 자리 수) × (두 자리 수) (1)

P 16 ~ 17

각 자리의 위치를 맞추어 빈칸에 알맞은 수를 써넣으세요.

```
  345        345        345
×  27      ×  27      ×  27
-----      -----      -----
2415       2415       2415  ←(345×7)
           690        690   ←(345×20)
                      -----
                      9315
```

```
  252        252        252
×  36      ×  36      ×  36
-----      -----      -----
1512       1512       1512
           756        756
                      -----
                      9072
```

```
  337        337        337
×  25      ×  25      ×  25
-----      -----      -----
1685       1685       1685
           674        674
                      -----
                      8425
```

정답

P 18 ~ 19

신나는 연산!

1주 월 일

빈칸에 알맞은 수를 써넣으세요.

226 × 34 = 904 + 678 = 7684	458 × 21 = 458 + 916 = 9618	369 × 32 = 738 + 1107 = 11808
355 × 46 = 2130 + 1420 = 16330	614 × 37 = 4298 + 1842 = 22718	605 × 29 = 5445 + 1210 = 17545
754 × 16 = 4524 + 754 = 12064	553 × 26 = 3318 + 1106 = 14378	286 × 42 = 572 + 1144 = 12012

빈칸에 알맞은 수를 써넣으세요.

169 × 52 = 338 + 845 = 8788	264 × 38 = 2112 + 792 = 10032	508 × 24 = 2032 + 1016 = 12192
428 × 34 = 1712 + 1284 = 14552	663 × 19 = 5967 + 663 = 12597	291 × 53 = 873 + 1455 = 15423
638 × 27 = 4466 + 1276 = 17226	578 × 46 = 3468 + 2312 = 26588	351 × 72 = 702 + 2457 = 25272

P 20 ~ 21

5일차 (세 자리 수) × (두 자리 수) (2)

1주 월 일

각 자리의 위치를 맞추어 빈칸에 알맞은 수를 써넣으세요.

334 × 45 = 1670 + 1336 = 15030	339 × 18 = 2712 + 339 = 6102	167 × 33 = 501 + 501 = 5511
415 × 42 = 830 + 1660 = 17430	184 × 27 = 1288 + 368 = 4968	339 × 16 = 2034 + 339 = 5424
458 × 32 = 916 + 1374 = 14656	517 × 27 = 3619 + 1034 = 13959	622 × 19 = 5598 + 622 = 11818

각 자리의 위치를 맞추어 빈칸에 알맞은 수를 써넣으세요.

164 × 53 = 492 + 820 = 8692	256 × 32 = 512 + 768 = 8192	414 × 68 = 3312 + 2484 = 28152
532 × 27 = 3724 + 1064 = 14364	409 × 64 = 1636 + 2454 = 26176	632 × 23 = 1896 + 1264 = 14536
842 × 19 = 7578 + 842 = 15998	274 × 35 = 1370 + 822 = 9590	207 × 53 = 621 + 1035 = 10971

1일차 잘못된 식

다음과 같이 계산이 잘못된 곳을 찾아 표시하고, 답을 바르게 고쳐 보세요.

```
     4 1 5          4 1 5
×      4 8    ➡   ×    4 8
   3 3 2 0          3 3 2 0
   1 6 6 0        1 6 6 0
   4 9 8 0        1 9 9 2 0
```

```
     2 0 7          2 0 7
×      6 7    ➡   ×    6 7
   1 4 4 9          1 4 4 9
 1 2 0 4 2        1 2 4 2
 1 2 1 8 6 9      1 3 8 6 9
```

```
     3 5 4          3 5 4
×      7 2    ➡   ×    7 2
     7 0 8            7 0 8
   2 4 7 8        2 4 7 8
   3 1 8 6        2 5 4 8 8
```


P 24 ~ 25

계산이 잘못된 곳을 찾아 표시하고, 답을 바르게 고쳐 보세요.

```
     8 2 0          8 2 0
×      5 7    ➡   ×    5 7
   5 7 4 0          5 7 4 0
   4 1 0 0        4 1 0 0
   9 8 4 0        4 6 7 4 0
```

```
     2 5 0          2 5 0
×      8 4    ➡   ×    8 4
     1 0 0          1 0 0 0
   2 0 0 0        2 0 0 0
   2 0 1 0 0      2 1 0 0 0
```

```
     6 0 0          6 0 0
×      4 9    ➡   ×    4 9
   5 4 0 0          5 4 0 0
   2 4 0          2 4 0 0
   7 8 0 0        2 9 4 0 0
```


2일차 수 상자

빈칸에 알맞은 수를 써넣으세요.

145 → × 70 → 10150

286 → × 40 → 11440

527 → × 14 → 7378

192 → × 53 → 10176

372 → × 28 → 10416

449 → × 25 → 11225

P 26 ~ 27

빈칸에 알맞은 수를 써넣으세요.

380 → × 27 → 10260

727 → × 30 → 21810

405 → × 62 → 25110

277 → × 80 → 22160

621 → × 37 → 22977

323 → × 41 → 13243

P 28 ~ 29

3일차 곱셈 퍼즐

□ 안의 수가 양쪽 ○ 안의 두 수의 곱이 되도록 알맞은 수를 써넣으세요.

126×17=2142

126 — 2142 — 17
10080 — 8551
126×80=10080
80 — 40240 — 503

158 — 9480 — 60
3634 — 24420
23 — 9361 — 407

604 — 19328 — 32
30200 — 7488
50 — 11700 — 234

416 — 21632 — 52
16640 — 19760
40 — 15200 — 380

2주 ○월 ○일

□ 안의 수가 양쪽 ○ 안의 두 수의 곱이 되도록 알맞은 수를 써넣으세요.

277 — 8310 — 30
3878 — 5760
14 — 2688 — 192

801 — 16821 — 21
26433 — 5166
33 — 8118 — 246

123 — 8610 — 70
4920 — 25830
40 — 14760 — 369

456 — 15504 — 34
5016 — 17170
11 — 5555 — 505

P 30 ~ 31

4일차 벌레 먹은 곱셈

빈칸에 알맞은 수를 써넣으세요.

```
    5 8 0
×     5 0
2 9 0 0 0
```

```
    4 1 3
×     4 0
1 6 5 2 0
```

```
    3 1 6
×     4 7
  2 2 1 2
1 2 6 4
1 4 8 5 2
```

```
    4 3 5
×     4 8
  3 4 8 0
1 7 4 0
2 0 8 8 0
```

```
    2 6 7
×     5 3
    8 0 1
1 3 3 5
1 4 1 5 1
```

```
    5 2 6
×     3 4
  2 1 0 4
1 5 7 8
1 7 8 8 4
```


2주 ○월 ○일

빈칸에 알맞은 수를 써넣으세요.

```
    3 4 0
×     7 0
2 3 8 0 0
```

```
    3 8 9
×     3 0
1 1 6 7 0
```

```
    1 9 6
×     8 5
    9 8 0
1 5 6 8
1 6 6 6 0
```

```
    5 7 6
×     3 8
  4 6 0 8
1 7 2 8
2 1 8 8 8
```

```
    3 9 2
×     8 7
  2 7 4 4
3 1 3 6
3 4 1 0 4
```

```
    9 2 8
×     5 5
  4 6 4 0
4 6 4 0
5 1 0 4 0
```

2주

빈칸에 알맞은 수를 써넣으세요.

```
      8 7 5
×       4 0
-----------
3 5 0 0 0
```

```
      8 2 3
×       4 0
-----------
3 2 9 2 0
```

```
      1 4 7
×       8 7
-----------
    1 0 2 9
  1 1 7 6
-----------
  1 2 7 8 9
```

```
      7 0 4
×       3 5
-----------
    3 5 2 0
  2 1 1 2
-----------
  2 4 6 4 0
```

```
      4 1 3
×       6 7
-----------
    2 8 9 1
  2 4 7 8
-----------
  2 7 6 7 1
```

```
      5 2 9
×         2 9
-----------
    4 7 6 1
  1 0 5 8
-----------
  1 5 3 4 1
```


5일차 문장제

P 32 ~ 33

다음을 읽고 알맞은 곱셈식을 쓰고, 답을 구하세요.

정은이네 농장에서 토끼를 기르는 데 하루에 463개의 당근을 먹이로 준다고 합니다. 20일 동안 먹이로 준 당근은 모두 몇 개일까요?

식 : 463 × 20 = 9260 　　9260 개

어느 공장에서 장난감 인형을 한 개 만드는데 드는 돈은 635원입니다. 이 공장에서 장난감 인형을 17개 만드는데 드는 돈은 모두 얼마일까요?

식 : 635 × 17 = 10795 　　10795 원

신나는 연산!

2주 ○월 ○일

P 34 ~ 35

다음을 읽고 알맞은 곱셈식을 쓰고, 답을 구하세요.

희주는 한 장에 270원인 색도화지를 한 묶음에 10장씩 2묶음과 낱개 7장을 샀습니다. 도화지 값은 모두 얼마일까요?

식 : 270 × 27 = 7290 　　7290 원

공장에서 컴퓨터를 하루에 73대씩 생산한다고 합니다. 1년을 365일로 계산한다면, 이 공장에서 1년 동안 생산하는 컴퓨터는 모두 몇 대일까요?

식 : 73 × 365 = 26645 　　26645 대

다음을 읽고 알맞은 곱셈식을 쓰고, 답을 구하세요.

테이프가 한 상자에 476개씩 들어 있습니다. 36상자에 들어 있는 테이프는 모두 몇 개일까요?

식 : 476 × 36 = 17136 　　17136 개

준희네 학생들 240명은 일년 동안 각각 25권씩 책을 읽었습니다. 준희네 학교 학생들이 일년 동안 읽은 책은 모두 몇 권일까요?

식 : 240 × 25 = 6000 　　6000 권

경호는 한 권에 326원인 공책을 한 묶음에 10권씩 3묶음과 낱개 4권을 샀습니다. 공책 값은 모두 얼마일까요?

식 : 326 × 34 = 11084 　　11084 원

P 36

2주

다음을 읽고 알맞은 곱셈식을 쓰고, 답을 구하세요.

승은이는 문방구에서 한 개에 570원 하는 가위를 23개 사려고 합니다. 승은이는 얼마를 내야할까요?

식 : 570×23=13110 13110 원

박물관 입장료는 1인당 855원입니다. 19명의 학생이 박물관에 입장하려면 내야 할 입장료는 모두 얼마일까요?

식 : 855×19=16245 16245 원

지혜네 할아버지는 오늘로 만 68세가 되셨습니다. 1년을 365일로 계산한다면, 지혜네 할아버지는 어제까지 며칠을 사신 셈일까요?

식 : 68×365=24820 24820 일

P 38 ~ 39

1 일차 0으로 끝나는 두 수의 곱

다음과 같이 0으로 끝나는 두 수의 곱을 해 보세요.

200의 300배 ➡ 200 × 300 = 60000

200의 3000배 ➡ 200 × 3000 = 600000

30의 500배 ➡ 30 × 500 = 15000

30의 5000배 ➡ 30 × 5000 = 150000

400의 200배 ➡ 400 × 200 = 80000

400의 2000배 ➡ 400 × 2000 = 800000

TIP
0으로 끝나는 두 수의 곱은 0을 제외한 (몇)×(몇)을 계산한 다음, 그 곱에 곱하는 수의 0의 개수만큼 0을 붙이면 됩니다.

3주 월 일

다음과 같이 0으로 끝나는 두 수의 곱을 해 보세요.

20의 130배 ➡ 20 × 130 = 2600

20의 1300배 ➡ 20 × 1300 = 26000

60의 140배 ➡ 60 × 140 = 8400

60의 1400배 ➡ 60 × 1400 = 84000

40의 360배 ➡ 40 × 360 = 14400

40의 3600배 ➡ 40 × 3600 = 144000

130의 700배 ➡ 130 × 700 = 91000

130의 7000배 ➡ 130 × 7000 = 910000

3주

□ 안에 알맞은 수를 써넣으세요.

70 × 600 = 42000　　30 × 1300 = 39000

50 × 300 = 15000　　30 × 2600 = 78000

400 × 300 = 120000　　140 × 300 = 42000

20 × 6000 = 120000　　230 × 600 = 138000

60 × 720 = 43200　　80 × 1200 = 96000

300 × 700 = 210000　　600 × 3000 = 1800000

2일차 (네 자리 수) × (몇십)

P 40 ~ 41

각 자리의 위치를 맞추어 빈칸에 알맞은 수를 써넣으세요.

4563 × 20 = 91260

```
  4563
×   20
-----
 91260
```

```
  3923
×   30
-----
117690
```

```
  2761
×   60
-----
165660
```

```
  1834
×   50
-----
 91700
```

```
  2553
×   70
-----
178710
```

```
  5154
×   40
-----
206160
```

```
  2762
×   60
-----
165720
```

```
  1468
×   80
-----
117440
```

```
  3257
×   30
-----
 97710
```

```
  4215
×   50
-----
210750
```


3주 ○월 ○일

빈칸에 알맞은 수를 써넣으세요.

```
  3452
×   60
-----
207120
```

```
  2068
×   40
-----
 82720
```

```
  4522
×   30
-----
135660
```

```
  1824
×   70
-----
127680
```

```
  3284
×   20
-----
 65680
```

```
  4481
×   50
-----
224050
```

```
  6235
×   20
-----
124700
```

```
  5849
×   30
-----
175470
```

```
  2666
×   60
-----
159960
```

```
  3793
×   50
-----
189650
```

```
  2863
×   80
-----
229040
```

```
  6174
×   40
-----
246960
```


3일차 (네 자리 수) × (두 자리 수)

P 42 ~ 43

각 자리의 위치를 맞추어 빈칸에 알맞은 수를 써넣으세요.

```
  2256
×   38
-----
18048
```

➡

```
  2256
×   38
-----
18048
6768
```

➡

```
  2256
×   38
-----
18048
6768
-----
85728
```

```
  3742
×   26
-----
22452
```

➡

```
  3742
×   26
-----
22452
 7484
```

➡

```
  3742
×   26
-----
22452
 7484
-----
97292
```

```
  5984
×   35
-----
29920
```

➡

```
  5984
×   35
-----
29920
17952
```

➡

```
  5984
×   35
-----
29920
17952
-----
209440
```

정답

P 44 ~ 45

신나는 연산!

3주 월 일

빈칸에 알맞은 수를 써넣으세요.

4275 × 16 = 68400 (25650, 4275)	3927 × 32 = 125664 (7854, 11781)	1885 × 43 = 81055 (5655, 7540)
3557 × 36 = 128052 (21342, 10671)	4284 × 27 = 115668 (29988, 8568)	3358 × 19 = 63802 (30222, 3358)
4525 × 22 = 99550 (9050, 9050)	5674 × 15 = 85110 (28370, 5674)	2284 × 36 = 82224 (13704, 6852)

빈칸에 알맞은 수를 써넣으세요.

2468 × 37 = 91316 (17276, 7404)	3576 × 28 = 100128 (28608, 7152)	5572 × 51 = 284172 (5572, 27860)
4083 × 36 = 146988 (24498, 12249)	1786 × 47 = 83942 (12502, 7144)	6404 × 28 = 179312 (51232, 12808)
1596 × 49 = 78204 (14364, 6384)	4254 × 37 = 157398 (29778, 12762)	3846 × 19 = 73074 (34614, 3846)

P 46 ~ 47

4일차

세 수의 곱셈

3주 월 일

세 수의 곱셈을 하는 방법을 알아보고, □ 안에 알맞은 수를 써넣으세요.

17 × 5 × 4 = 340 (85, 340)

17 × 5 × 4 = 340 (20, 340)

36 × 2 × 9 = 648 (72, 648)

24 × 6 × 5 = 720 (30, 720)

8 × 45 × 12 = 4320 (360, 4320)

17 × 20 × 2 = 680 (40, 680)

TIP
세 수의 곱셈은 순서를 바꾸어 곱해도 계산 결과가 같으므로 먼저 뒤의 두 수를 곱하고, 그 곱에 처음의 수를 곱하는 것이 편리할 수도 있습니다.

□ 안에 알맞은 수를 써넣으세요.

6 × 325 × 3 = 1950 × 3 = 5850

6 × 325 = 1950; 1950 × 3 = 5850

4 × 248 × 5 = 992 × 5 = 4960

4 × 248 = 992; 992 × 5 = 4960

6 × 273 × 8 = 1638 × 8 = 13104

6 × 273 = 1638; 1638 × 8 = 13104

신나는 연산!

□ 안에 알맞은 수를 써넣으세요.

137 × 6 × 45 = 822 × 45 = 36990

```
  1 3 7
×     6
-------
  8 2 2

  8 2 2
×     4 5
---------
  4 1 1 0
  3 2 8 8
---------
  3 6 9 9 0
```

27 × 35 × 46 = 945 × 46 = 43470

```
    2 7
  × 3 5
  -----
  1 3 5
  8 1
  -----
  9 4 5

  9 4 5
×     4 6
---------
  5 6 7 0
  3 7 8 0
---------
  4 3 4 7 0
```


3주

□ 안에 알맞은 수를 써넣으세요.

186 × 7 × 34 = 1302 × 34 = 44268

```
    1 8 6
  ×     7
  -------
  1 3 0 2

  1 3 0 2
×     3 4
---------
  5 2 0 8
  3 9 0 6
---------
  4 4 2 6 8
```

47 × 28 × 52 = 1316 × 52 = 68432

```
    4 7
  ×   2 8
  -------
    3 7 6
    9 4
  -------
  1 3 6 6

  1 3 1 6
×     5 2
---------
  2 6 3 2
  6 5 8 0
---------
  6 8 4 3 2
```


5일차 문장제

다음을 읽고 알맞은 곱셈식을 쓰고, 답을 구하세요.

옷 가게에서 티셔츠 한 장은 1564원입니다. 선주네 반 친구들 35명이 단체로 구입하여 함께 맞춰 입기로 했습니다. 티셔츠 값은 모두 얼마일까요?

식 : 1564 × 35 = 54740 54740 원

현지는 6명의 친구들과 각자 동화책을 하루에 27쪽씩 일주일 동안 읽기로 했습니다. 현지와 친구들이 일주일 동안 읽을 동화책은 모두 몇 쪽일까요?

식 : 7×27×7 = 1323 1323 쪽

3주 ○월 ○일

다음을 읽고 알맞은 곱셈식을 쓰고, 답을 구하세요.

시험지를 한 시간에 2254장 인쇄할 수 있는 기계가 있습니다. 오늘 이 기계로 오전에는 4시간 동안 인쇄를 하고, 오후에는 6시간 동안 인쇄를 했습니다. 오늘 인쇄한 시험지는 모두 몇 장일까요?

식 : 2254×10 = 22540 22540 장

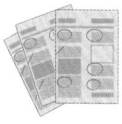

자전거를 한 대 팔면 이익이 5320원입니다. 자전거 38대를 팔면 이익은 모두 얼마일까요?

식 : 5320×38 = 202160 202160 원

정답

P 52 ~ 53

신나는 연산!

다음을 읽고 알맞은 곱셈식을 쓰고, 답을 구하세요.

형민이네 학교 학생은 1347명입니다. 형민이네 학교에서는 학생들에게 공책을 20권씩 나누어 주려고 합니다. 필요한 공책은 모두 몇 권일까요?

식 : 1347×20=26940 26940 권

어느 공장에서 모자 한 개를 만드는 데 2631원이 듭니다. 모자 46개를 만드는 데 드는 비용은 모두 얼마일까요?

식 : 2631×46=121026 121026 원

농장에 암탉이 34마리 있습니다. 암탉 한 마리가 일주일에 달걀을 5개씩 낳는다고 합니다. 이 암탉들이 25주 동안 달걀을 낳았다면 달걀은 모두 몇 개일까요?

식 : 34×5×25=4250 4250 개

3주

다음을 읽고 알맞은 곱셈식을 쓰고, 답을 구하세요.

하은이네 과수원에서 수확한 자두는 한 상자에 5340원에 팝니다. 어제는 5상자를 팔고, 오늘은 7상자를 팔았습니다. 어제와 오늘 판매한 자두는 모두 얼마일까요?

식 : 5340×12=64080 64080 원

정현이는 한 자루에 195원 하는 연필을 8타 샀습니다. 정현이가 낸 연필의 값은 얼마일까요?

식 : 195×8×12=18720 18720 원

과일 가게에서 멜론 한 개의 값은 4780원입니다. 이 과일 가게에서 판매하는 멜론 24개의 값은 얼마일까요?

식 : 4780×24=114720 114720 원

P 56 ~ 57

1일차 목표수 만들기

수 카드 2장을 골라 곱셈식을 완성하세요.(단, 큰 수를 왼쪽에 씁니다.)

3 15 / 2 18 27	27 × 3 = 81
2 6 / 16 24 19	19 × 6 = 114
3 8 / 14 34 12	34 × 3 = 102
2 21 / 5 13 43	43 × 2 = 86
4 31 / 22 8 12	22 × 8 = 176
13 17 / 3 5 26	26 × 5 = 130

4주 월 일

수 카드 2장을 골라 곱셈식을 완성하세요.(단, 큰 수를 왼쪽에 씁니다.)

10 20 / 30 40 50	30 × 20 = 600
10 20 / 15 16 36	16 × 10 = 160
11 12 / 10 20 30	30 × 12 = 360
10 13 / 16 20 25	25 × 20 = 500
14 20 / 30 60 12	30 × 14 = 420
10 20 / 34 14 25	34 × 20 = 680

4주

숫자 카드를 모두 사용하여 곱셈식을 완성하세요.

3 6 7	6 7 × 3 = 201
2 4 8	2 8 × 4 = 112
1 5 9	5 1 × 9 = 459
2 3 6	6 2 × 3 = 186
1 2 5 6	1 6 5 × 2 = 330
1 3 4 7	1 4 7 × 3 = 441

2 일 차

곱이 가장 큰 식 (1)

P 58 ~ 59

(두 자리 수)×(한 자리 수)에서 숫자 카드를 한번씩 사용하여 곱셈식을 만들 때, 곱을 가장 크게 만드는 방법을 알아보세요.

1 3
7

가장 클 때

□□
× □

(1) 곱을 가장 크게 만들려면 색칠된 칸에 들어가야 할 수는 무엇인지 써 보세요.

□1
× □

(2) 남은 수를 넣어서 만들 수 있는 두 가지 곱셈식을 계산하여 곱의 크기를 비교해 보세요.

			가장 클 때
71	31		31
× 3	× 7	➡	× 7
213	217		217

신나는 연산!

숫자 카드를 한번씩 사용하여 만든 곱셈식 중에서 곱이 가장 클 때의 값을 구해보세요.

1 2
3

			가장 클 때
31	21		21
× 2	× 3	➡	× 3
62	63		63

~~2~~ 5
6

			가장 클 때
62	52		52
× 5	× 6	➡	× 6
310	312		312

3 8
7

			가장 클 때
83	73		73
× 7	× 8	➡	× 8
581	584		584

TIP
(두 자리 수)×(한 자리 수)에서 곱을 가장 크게 만들려면, 두 자리 수에서 십의 자리 수와 한 자리 수의 곱이 가장 커야 합니다. 이때 만들 수 있는 두 가지 경우를 비교해 보면, 곱하는 한 자리 수에 가장 큰 수가 올 때 곱이 가장 커짐을 알 수 있습니다.

4주 월 일

P 60 ~ 61

숫자 카드를 한번씩 사용하여 곱이 가장 클 때의 값을 구해보세요.

~~1~~ 4
8

		가장 클 때
41		
× 8		
328		

~~2~~ 3
4

		가장 클 때
32		
× 4		
128		

2 4
9

		가장 클 때
42		
× 9		
378		

3 1
6

		가장 클 때
31		
× 6		
186		

4 3
7 5

		가장 클 때
54		
× 7		
378		

5 9
6 8

		가장 클 때
86		
× 9		
774		

P 62 ~ 63

신나는 연산!

(세 자리 수)×(한 자리 수)에서 숫자 카드를 한번씩 사용하여 곱셈식을 만들 때, 곱을 가장 크게 만드는 방법을 알아보세요.

1 2
4 5

가장 클 때
□□□
× □

(1) 곱을 가장 크게 만들려면 색칠된 칸에 들어가야 할 수는 무엇인지 써 보세요.

□ 2 1
× □

(2) 남은 수를 넣어서 만들 수 있는 두 가지 곱셈식을 계산하여 곱의 크기를 비교해 보세요.

5 2 1	4 2 1		가장 클 때
× 4	× 5	➡	× 5
2 0 8 4	2 1 0 5		2 1 0 5

4주

숫자 카드를 한번씩 사용하여 만든 곱셈식 중에서 곱이 가장 클 때의 값을 구해보세요.

1 2
3 4

4 2 1	3 2 1		가장 클 때
× 3	× 4	➡	× 4
1 2 6 3	1 2 8 4		1 2 8 4

~~1~~ ~~3~~
5 7

7 3 1	5 3 1		가장 클 때
× 5	× 7	➡	× 7
3 6 5 5	3 7 1 7		3 7 1 7

2 6
4 8

8 4 2	6 4 2		가장 클 때
× 6	× 8	➡	× 8
5 0 5 2	5 1 3 6		5 1 3 6

TIP
(세 자리 수)×(한 자리 수)에서 곱을 가장 크게 만들려면, 세 자리 수에서 백의 자리 수와 한 자리 수의 곱이 가장 커야 합니다. 이때 만들 수 있는 두 가지 경우를 비교해 보면, 곱하는 한 자리 수에 가장 큰 수가 올 때 곱이 가장 커짐을 알 수 있습니다.

P 64 ~ 65

4주

숫자 카드를 한번씩 사용하여 곱이 가장 클 때의 값을 구해보세요.

~~1~~ ~~2~~
3 7

가장 클 때	
3 2 1	
× 7	
2 2 4 7	

~~2~~ ~~3~~
4 5

가장 클 때	
4 3 2	
× 5	
2 1 6 0	

2 1
6 9

가장 클 때	
6 2 1	
× 9	
5 5 8 9	

2 4
5 8

가장 클 때	
5 4 2	
× 8	
4 3 3 6	

3 4
6
7 5

가장 클 때	
6 5 4	
× 7	
4 5 7 8	

5 7
9
8 6

가장 클 때	
8 7 6	
× 9	
7 8 8 4	

3 일차

곱이 가장 큰 식 (2)

(두 자리 수)×(두 자리 수)에서 숫자 카드를 한번씩 사용하여 곱셈식을 만들 때, 곱을 가장 크게 만드는 방법을 알아보세요.

1 2
3 4

가장 클 때
□□
× □□

(1) 곱을 가장 크게 만들려면 색칠된 칸에 들어가야 할 수는 무엇인지 써 보세요. (단, 큰 수를 위쪽에 씁니다.)

4 □
× 3 □

(2) 남은 수를 넣어서 만들 수 있는 두 가지 곱셈식을 계산하여 곱의 크기를 비교해 보세요.

4 2	4 1		가장 클 때
× 3 1	× 3 2	➡	× 3 2
4 2	8 2		8 2
1 2 6	1 2 3		1 2 3
1 3 0 2	1 3 1 2		1 3 1 2

숫자 카드를 한번씩 사용하여 만든 곱셈식 중에서 곱이 가장 클 때의 값을 구해보세요.

가장 클 때

2 3		5 3		5 2		5 2
4 5	×	4 2	×	4 3	×	4 3
		1 0 6		1 5 6	➡	1 5 6
		2 1 2		2 0 8		2 0 8
		2 2 2 6		2 2 3 6		2 2 3 6

2 3 ~~5~~ ~~8~~

가장 클 때

	6 3		6 2		6 2
×	5 2	×	5 3	×	5 3
	1 2 6		1 8 6	➡	1 8 6
3 1 5		3 1 0		3 1 0	
3 2 7 6		3 2 8 6		3 2 8 6	

TIP

(두 자리 수)×(두 자리 수)에서 곱을 가장 크게 만들려면, 네 숫자 중 큰 두 숫자가 십의 자리에 오고, 다음 큰 숫자는 가장 큰 숫자와 곱해질 수 있도록 배치하면 됩니다.

숫자 카드를 한번씩 사용하여 곱이 가장 클 때의 값을 구해보세요. (단, 큰 수를 위쪽에 씁니다.)

가장 클 때

	6 1		7 2
1 3	× 4 3	2 4	× 6 4
~~4~~ ~~6~~	1 8 3	6 7	2 8 8
	2 4 4		4 3 2
	2 6 2 3		4 6 0 8

가장 클 때

	8 2		9 1
2 6	× 6 5	1 7	× 7 5
8 5	4 1 0	9 5	4 5 5
	4 9 2		6 3 7
	5 3 3 0		6 8 2 5

숫자 카드를 한번씩 사용하여 곱이 가장 클 때의 값을 구해보세요. (단, 큰 수를 위쪽에 씁니다.)

가장 클 때

	8 4		9 3
1 4	× 6 5	1 4	× 5 4
5	4 2 0	5	3 7 2
~~6~~ ~~8~~	5 0 4	3 9	4 6 5
	5 4 6 0		5 0 2 2

가장 클 때

	6 3		8 2
2 4	× 5 4	1 6	× 6 5
3	2 5 2	2	4 1 0
5 6	3 1 5	5 8	4 9 2
	3 4 0 2		5 3 3 0

4일차 곱이 가장 작은 식 (1)

(두 자리 수)×(한 자리 수)에서 숫자 카드를 한번씩 사용하여 곱셈식을 만들 때, 곱을 가장 작게 만드는 방법을 알아보세요.

1 4		가장 작을 때
5		□□
		× □

(1) 곱을 가장 작게 만들려면 색칠된 칸에 들어가야 할 수는 무엇인지 써 보세요.

	□ 5
×	□

(2) 남은 수를 넣어서 만들 수 있는 두 가지 곱셈식을 계산하여 곱의 크기를 비교해 보세요.

가장 작을 때

1 5	4 5		4 5
× 4	× 1	➡	× 1
6 0	4 5		4 5

P 70 ~ 71

신나는 연산!

4주 월 일

숫자 카드를 한번씩 사용하여 만든 곱셈식 중에서 곱이 가장 작을 때의 값을 구해보세요.

1 2 / 3

13 × 2 = 26	23 × 1 = 23	가장 작을 때: 23 × 1 = 23

2 6 / ~~7~~

27 × 6 = 162	67 × 2 = 134	가장 작을 때: 67 × 2 = 134

4 6 / 5

46 × 5 = 230	56 × 4 = 224	가장 작을 때: 56 × 4 = 224

TIP
(두 자리 수)×(한 자리 수)에서 곱을 가장 작게 만들려면, 두 자리 수에서 십의 자리 수와 한 자리 수의 곱이 가장 작아야 합니다. 이때 만들 수 있는 두 가지 경우를 비교해 보면, 곱하는 한 자리 수에 가장 작은 수가 올 때 곱이 가장 작아짐을 알 수 있습니다.

70 소마셈 – C5

숫자 카드를 한번씩 사용하여 곱이 가장 작을 때의 값을 구해보세요.

1 2 / ~~9~~ — 가장 작을 때: 29 × 1 = 29

~~5~~ 2 / 3 — 가장 작을 때: 35 × 2 = 70

3 5 / 4 — 가장 작을 때: 45 × 3 = 135

2 6 / 7 — 가장 작을 때: 67 × 2 = 134

4 5 / 7 8 — 가장 작을 때: 57 × 4 = 228

4 2 / 8 9 — 가장 작을 때: 48 × 2 = 96

4주 – 곱셈식 만들기 71

P 72 ~ 73

신나는 연산!

(세 자리 수)×(한 자리 수)에서 숫자 카드를 한번씩 사용하여 곱셈식을 만들 때, 곱을 가장 작게 만드는 방법을 알아보세요.

1 2 / 4 5

가장 작을 때: □□□ × □

(1) 곱을 가장 작게 만들려면 색칠된 칸에 들어가야 할 수는 무엇인지 써 보세요.

□45 × □

(2) 남은 수를 넣어서 만들 수 있는 두 가지 곱셈식을 계산하여 곱의 크기를 비교해 보세요.

145 × 2 = 290	245 × 1 = 245	가장 작을 때: 245 × 1 = 245

72 소마셈 – C5

4주

숫자 카드를 한번씩 사용하여 만든 곱셈식 중에서 곱이 가장 작을 때의 값을 구해보세요.

1 2 / 3 4

134 × 2 = 268	234 × 1 = 234	가장 작을 때: 234 × 1 = 234

1 4 / ~~5~~ ~~6~~

156 × 4 = 624	456 × 1 = 456	가장 작을 때: 456 × 1 = 456

2 7 / 8 5

278 × 5 = 1390	578 × 2 = 1156	가장 작을 때: 578 × 2 = 1156

TIP
(세 자리 수)×(한 자리 수)에서 곱을 가장 작게 만들려면, 세 자리 수에서 백의 자리 수와 한 자리 수의 곱이 가장 작아야 합니다. 이때 만들 수 있는 두 가지 경우를 비교해 보면, 곱하는 한 자리 수에 가장 작은 수가 올 때 곱이 가장 작아짐을 알 수 있습니다.

4주 – 곱셈식 만들기 73

4주

숫자 카드를 한번씩 사용하여 곱이 가장 작을 때의 값을 구해보세요.

1 2 / ~~3~~ ~~5~~	가장 작을 때 235 × 1 = 235	1 3 / ~~5~~ ~~6~~	가장 작을 때 356 × 1 = 356
2 8 / 6 4	가장 작을 때 468 × 2 = 936	5 7 / 6 1	가장 작을 때 567 × 1 = 567
2 7 / 5 / 3 8	가장 작을 때 357 × 2 = 714	5 7 / 6 / 8 9	가장 작을 때 678 × 5 = 3390

5일차

곱이 가장 작은 식 (2)

P 74 ~ 75

(두 자리 수)×(두 자리 수)에서 숫자 카드를 한번씩 사용하여 곱셈식을 만들 때, 곱을 가장 작게 만드는 방법을 알아보세요.

2 3 / 4 5

가장 작을 때

× □□ / □□

(1) 곱을 가장 작게 만들려면 색칠된 칸에 들어가야 할 수는 무엇인지 써 보세요. (단, 작은 수를 위쪽에 씁니다.)

× 2□ / 3□

(2) 남은 수를 넣어서 만들 수 있는 두 가지 곱셈식을 계산하여 곱의 크기를 비교해 보세요.

25 × 34 = 100, 75, 850	24 × 35 = 120, 72, 840	➡	가장 작을 때 24 × 35 = 120, 72, 840

신나는 연산!

숫자 카드를 한번씩 사용하여 만든 곱셈식 중에서 곱이 가장 작을 때의 값을 구해보세요.

1 2 / 3 4

가장 작을 때

14 × 23 = 42, 28, 322	13 × 24 = 52, 26, 312	➡ 가장 작을 때 13 × 24 = 52, 26, 312

~~2~~ ~~3~~ 4 7

가장 작을 때

27 × 34 = 108, 81, 918	24 × 37 = 168, 72, 888	➡ 가장 작을 때 24 × 37 = 168, 72, 888

TIP

(두 자리 수)×(두 자리 수)에서 곱을 가장 작게 만들려면, 네 숫자 중 작은 두 숫자가 십의 자리에 오고, 남은 일의 자리 숫자와의 곱이 큰 수끼리 곱해지지 않도록 수를 배치하면 됩니다.

4주 ○월 ○일

P 76 ~ 77

숫자 카드를 한번씩 사용하여 곱이 가장 작을 때의 값을 구해보세요. (단, 작은 수를 위쪽에 씁니다.)

~~1~~ ~~3~~ / 4 5	가장 작을 때 14 × 35 = 70, 42, 490	4 3 / 2 8	가장 작을 때 24 × 38 = 192, 72, 912
2 4 / 6 8	가장 작을 때 26 × 48 = 208, 104, 1248	3 8 / 1 9	가장 작을 때 18 × 39 = 162, 54, 702

P 78

4주

숫자 카드를 한번씩 사용하여 곱이 가장 작을 때의 값을 구해보세요. (단, 작은 수를 위쪽에 씁니다.)

가장 작을 때

~~1~~ ~~2~~	1 6
6	× 2 8
	1 2 8
8 9	3 2
	4 4 8

가장 작을 때

6 7	1 6
1	× 5 7
	1 1 2
8 5	8 0
	9 1 2

가장 작을 때

5 2	2 5
9	× 3 8
	2 0 0
8 3	7 5
	9 5 0

가장 작을 때

3 4	3 5
9	× 4 7
	2 4 5
7 5	1 4 0
	1 6 4 5

78 소마셈 – C5

P 80 ~ 81

1주차 Drill

(세 자리 수)×(두 자리 수) (1)

빈칸에 알맞은 수를 써넣으세요.

157 × 30 = 4710	562 × 40 = 22480	237 × 50 = 11850
731 × 20 = 14620	624 × 40 = 24960	257 × 60 = 15420
822 × 40 = 32880	306 × 80 = 24480	527 × 50 = 26350
226 × 90 = 20340	814 × 20 = 16280	446 × 70 = 31220

80 소마셈 – C5

빈칸에 알맞은 수를 써넣으세요.

352 × 40 = 14080	568 × 20 = 11360	275 × 60 = 16500
826 × 40 = 33040	365 × 60 = 21900	804 × 50 = 40200
678 × 70 = 47460	562 × 40 = 22480	237 × 80 = 18960
318 × 80 = 25440	654 × 60 = 39240	892 × 20 = 17840

Drill – 보충학습 81

P 82 ~ 83

1주차 drill

빈칸에 알맞은 수를 써넣으세요.

238 × 20 = 4760	288 × 30 = 8640	420 × 60 = 25200
706 × 40 = 28240	382 × 30 = 11460	507 × 70 = 35490
426 × 60 = 25560	419 × 80 = 33520	518 × 90 = 46620
456 × 40 = 18240	678 × 40 = 27120	388 × 20 = 7760

빈칸에 알맞은 수를 써넣으세요.

746 × 70 = 52220	465 × 50 = 23250	608 × 30 = 18240
661 × 20 = 13220	404 × 40 = 16160	237 × 90 = 21330
412 × 80 = 32960	556 × 60 = 33360	309 × 40 = 12360
870 × 50 = 43500	423 × 70 = 29610	796 × 30 = 23880

P 84 ~ 85

1주차 drill

빈칸에 알맞은 수를 써넣으세요.

157 × 63 = 471 + 942 = 9891	247 × 18 = 1976 + 247 = 4446	532 × 34 = 2128 + 1596 = 18088
406 × 28 = 3248 + 812 = 11368	123 × 32 = 246 + 369 = 3936	282 × 36 = 1692 + 846 = 10152
545 × 61 = 545 + 3270 = 33245	379 × 25 = 1895 + 758 = 9475	158 × 22 = 316 + 316 = 3476

빈칸에 알맞은 수를 써넣으세요.

207 × 35 = 1035 + 621 = 7245	168 × 45 = 840 + 672 = 7560	432 × 17 = 3024 + 432 = 7344
319 × 41 = 319 + 1276 = 13079	562 × 27 = 3934 + 1124 = 15174	392 × 53 = 1176 + 1960 = 20776
458 × 17 = 3206 + 458 = 7786	168 × 74 = 672 + 1176 = 12432	249 × 52 = 498 + 1245 = 12948

P 86 ~ 87

1주차 drill

빈칸에 알맞은 수를 써넣으세요.

406 × 22 = 812 / 812 / 8932	412 × 56 = 2472 / 2060 / 23072	287 × 23 = 861 / 574 / 6601
119 × 63 = 357 / 714 / 7497	263 × 18 = 2104 / 263 / 4734	379 × 48 = 3032 / 1516 / 18192
408 × 26 = 2448 / 816 / 10608	535 × 38 = 4280 / 1605 / 20330	708 × 52 = 1416 / 3540 / 36816

빈칸에 알맞은 수를 써넣으세요.

347 × 29 = 3123 / 694 / 10063	177 × 43 = 531 / 708 / 7611	404 × 38 = 3232 / 1212 / 15352
349 × 28 = 2792 / 698 / 9772	621 × 18 = 4968 / 621 / 11178	704 × 42 = 1408 / 2816 / 29568
662 × 13 = 1986 / 662 / 8606	327 × 19 = 2943 / 327 / 6213	226 × 32 = 452 / 678 / 7232

P 88 ~ 89

2주차 drill (세 자리 수)×(두 자리 수) (2)

각 자리의 위치를 맞추어 빈칸에 알맞은 수를 써넣으세요.

812 × 12 = 1624 / 812 / 9744	633 × 13 = 1899 / 633 / 8229	182 × 46 = 1092 / 728 / 8372
155 × 47 = 1085 / 620 / 7285	289 × 29 = 2601 / 578 / 8381	327 × 17 = 2289 / 327 / 5559
408 × 32 = 816 / 1224 / 13056	552 × 23 = 1656 / 1104 / 12696	711 × 18 = 5688 / 711 / 12798

각 자리의 위치를 맞추어 빈칸에 알맞은 수를 써넣으세요.

165 × 52 = 330 / 825 / 8580	266 × 34 = 1064 / 798 / 9044	482 × 62 = 964 / 2892 / 29884
547 × 27 = 3829 / 1094 / 14769	507 × 55 = 2535 / 2535 / 27885	184 × 24 = 736 / 368 / 4416
342 × 18 = 2736 / 342 / 6156	289 × 82 = 578 / 2312 / 23698	337 × 18 = 2696 / 337 / 6066

2주차 Drill

각 자리의 위치를 맞추어 빈칸에 알맞은 수를 써넣으세요.

289 × 15 = 1445 / 289 / 4335	524 × 15 = 2620 / 524 / 7860	228 × 81 = 228 / 1824 / 18468
314 × 42 = 628 / 1256 / 13188	309 × 77 = 2163 / 2163 / 23793	623 × 16 = 3738 / 623 / 9968
192 × 39 = 1728 / 576 / 7488	475 × 58 = 3800 / 2375 / 27550	639 × 82 = 1278 / 5112 / 52398

P 90 ~ 91

각 자리의 위치를 맞추어 빈칸에 알맞은 수를 써넣으세요.

403 × 28 = 3224 / 806 / 11284	715 × 36 = 4290 / 2145 / 25740	372 × 71 = 372 / 2604 / 26412
428 × 18 = 3424 / 428 / 7704	626 × 29 = 5634 / 1252 / 18154	504 × 33 = 1512 / 1512 / 16632
328 × 72 = 656 / 2296 / 23616	662 × 19 = 5958 / 662 / 12578	345 × 54 = 1380 / 1725 / 18630

2주차 Drill

빈칸에 알맞은 수를 써넣으세요.

183 → × 20 → 3660	427 → × 19 → 8113
183 → × 42 → 7686	325 → × 64 → 20800
174 → × 58 → 10092	519 → × 63 → 32697

P 92 ~ 93

빈칸에 알맞은 수를 써넣으세요.

418 → × 25 → 10450	714 → × 31 → 22134
502 → × 53 → 26606	432 → × 38 → 16416
632 → × 57 → 36024	258 → × 49 → 12642

P 94 ~ 95

2주차 drill

빈칸에 알맞은 수를 써넣으세요.

370 × 50 = 18500	469 × 30 = 14070	450 × 80 = 36000	528 × 30 = 15840
237 × 46 = 1422 + 948 = 10902	362 × 54 = 1448 + 1810 = 19548	351 × 64 = 1404 + 2106 = 22464	429 × 38 = 3432 + 1287 = 16302
357 × 42 = 714 + 1428 = 14994	536 × 49 = 4824 + 2144 = 26264	518 × 46 = 3108 + 2072 = 23828	743 × 25 = 3715 + 1486 = 18575

P 96 ~ 97

3주차 drill (네 자리 수)×(두 자리 수)

빈칸에 알맞은 수를 써넣으세요.

2462 × 50 = 123100	3308 × 40 = 132320	2773 × 50 = 138650	8011 × 20 = 160220
1582 × 70 = 110740	2869 × 20 = 57380	5362 × 30 = 160860	4275 × 30 = 128250
4083 × 60 = 244980	4275 × 40 = 171000	3482 × 60 = 208920	6201 × 30 = 186030
5079 × 20 = 101580	1887 × 40 = 75480	5443 × 20 = 108860	7027 × 30 = 210810
1795 × 60 = 107700	3453 × 60 = 207180	1896 × 70 = 132720	5407 × 20 = 108140
2378 × 70 = 166460	3624 × 40 = 144960	3188 × 50 = 159400	7234 × 20 = 144680

3주차 drill

빈칸에 알맞은 수를 써넣으세요.

1436 × 27	2478 × 19	4232 × 47
10052	22302	29624
2872	2478	16928
38772	47082	198904
3208 × 36	2718 × 36	3881 × 29
19248	16308	34929
9624	8154	7762
115488	97848	112549
5327 × 45	4053 × 32	3566 × 24
26635	8106	14264
21308	12159	7132
239715	129696	85584

빈칸에 알맞은 수를 써넣으세요.

2057 × 34	3512 × 48	4504 × 17
8228	28096	31528
6171	14048	4504
69938	168576	76568
3614 × 28	2346 × 52	7134 × 15
28912	4692	35670
7228	11730	7134
101192	121992	107010
1896 × 45	5252 × 26	4743 × 19
9480	31512	42687
7584	10504	4743
85320	136552	90117

3주차 drill

빈칸에 알맞은 수를 써넣으세요.

6005 × 27	2544 × 19	3802 × 23
42035	22896	11406
12010	2544	7604
162135	48336	87446
4123 × 56	1826 × 27	6443 × 19
24738	12782	57987
20615	3652	6443
230888	49302	122417
1827 × 25	3204 × 27	8116 × 71
9135	22428	8116
3654	6408	56812
45675	86508	576236

빈칸에 알맞은 수를 써넣으세요.

2303 × 48	3907 × 33	1777 × 43
18424	11721	5331
9212	11721	7108
110544	128931	76411
3287 × 39	4184 × 22	3058 × 16
29583	8368	18348
9861	8368	3058
128193	92048	48928
4026 × 19	5624 × 24	2824 × 35
36234	22496	14120
4026	11248	8472
76494	134976	98840

P 102 ~ 103

빈칸에 알맞은 수를 써넣으세요.

5 × 248 × 6 = 1240 × 6 = 7440

```
      5
  × 2 4 8
  1 2 4 0
      → 1 2 4 0
      ×       6
        7 4 4 0
```

3 × 307 × 4 = 921 × 4 = 3684

```
      3
  × 3 0 7
    9 2 1
      → 9 2 1
      ×     4
      3 6 8 4
```

7 × 192 × 6 = 1344 × 6 = 8064

```
      7
  × 1 9 2
  1 3 4 4
      → 1 3 4 4
      ×       6
      8 0 6 4
```


빈칸에 알맞은 수를 써넣으세요.

152 × 5 × 63 = 760 × 63 = 47880

```
    1 5 2
  ×     5
    7 6 0
      → 7 6 0
      ×     6 3
      2 2 8 0
    4 5 6 0
    4 7 8 8 0
```

68 × 29 × 37 = 1972 × 37 = 72964

```
      6 8
  ×   2 9
    6 1 2
  1 3 6
  1 9 7 2
      → 1 9 7 2
      ×       3 7
    1 3 8 0 4
    5 9 1 6
    7 2 9 6 4
```


P 104 ~ 105

곱셈식 만들기

숫자 카드를 한번씩 사용하여 곱이 가장 클 때의 값을 구해보세요.

카드	가장 클 때	곱
2 3 / 5	32 × 5	160
1 5 / 9	51 × 9	459
5 4 / 6	54 × 6	324
4 7 / 8	74 × 8	592
2 4 / 5 8	54 × 8	432
3 6 / 4 5	54 × 6	324

숫자 카드를 한번씩 사용하여 곱이 가장 클 때의 값을 구해보세요.

카드	가장 클 때	곱
5 3 / 2 6	532 × 6	3192
1 4 / 6 7	641 × 7	4487
2 5 / 8 9	852 × 9	7668
5 4 / 7 3	543 × 7	3801
1 4 / 2 / 5 7	542 × 7	3794
2 5 / 4 / 8 3	543 × 8	4344

4주차 drill

숫자 카드를 한번씩 사용하여 곱이 가장 클 때의 값을 구해보세요. (단, 큰 수를 위쪽에 씁니다.)

가장 클 때

2 4	92
8 9	× 84
	368
	736
	7728

가장 클 때

1 5	71
3 7	× 53
	213
	355
	3763

가장 클 때

4 7	72
5 2	× 54
	288
	360
	3888

가장 클 때

5 3	61
1 6	× 53
	183
	305
	3233

숫자 카드를 한번씩 사용하여 곱이 가장 클 때의 값을 구해보세요. (단, 큰 수를 위쪽에 씁니다.)

가장 클 때

1 3	83
6	× 76
7 8	498
	581
	6308

가장 클 때

3 2	62
5	× 53
6 1	186
	310
	3286

가장 클 때

3 6	73
4	× 64
1 7	292
	438
	4672

가장 클 때

5 3	93
6	× 65
2 9	465
	558
	6045

4주차 drill

숫자 카드를 한번씩 사용하여 곱이 가장 작을 때의 값을 구해보세요.

가장 작을 때

2 5	58
8	× 2
	116

가장 작을 때

4 6	46
2	× 2
	92

가장 작을 때

4 7	47
2	× 2
	94

가장 작을 때

9 5	59
3	× 3
	177

가장 작을 때

4 2	45
7 5	× 2
	90

가장 작을 때

6 7	36
3 1	× 1
	36

숫자 카드를 한번씩 사용하여 곱이 가장 작을 때의 값을 구해보세요.

가장 작을 때

3 5	569
6 9	× 3
	1707

가장 작을 때

2 6	236
3 1	× 1
	236

가장 작을 때

8 5	358
2 3	× 2
	716

가장 작을 때

6 4	678
8 7	× 4
	2712

가장 작을 때

5 4	456
2	× 2
9 6	912

가장 작을 때

6 2	346
3	× 2
7 4	692

P 110 ~ 111

4주차 drill

숫자 카드를 한번씩 사용하여 곱이 가장 작을 때의 값을 구해보세요. (단, 작은 수를 위쪽에 씁니다.)

가장 작을 때

2 6
7 9

```
  2 7
× 6 9
-----
  2 4 3
1 6 2
-----
1 8 6 3
```

가장 작을 때

5 1
6 8

```
  1 6
× 5 8
-----
  1 2 8
  8 0
-----
  9 2 8
```

가장 작을 때

3 8
2 9

```
  2 8
× 3 9
-----
  2 5 2
  8 4
-----
1 0 9 2
```

가장 작을 때

6 9
4 3

```
  3 6
× 4 9
-----
  3 2 4
1 4 4
-----
1 7 6 4
```


숫자 카드를 한번씩 사용하여 곱이 가장 작을 때의 값을 구해보세요. (단, 작은 수를 위쪽에 씁니다.)

가장 작을 때

1 3
4
6 8

```
  1 4
× 3 6
-----
  8 4
4 2
-----
5 0 4
```

가장 작을 때

5 2
4
8 6

```
  2 5
× 4 6
-----
  1 5 0
1 0 0
-----
1 1 5 0
```

가장 작을 때

8 3
7
5 6

```
  3 6
× 5 7
-----
  2 5 2
1 8 0
-----
2 0 5 2
```

가장 작을 때

4 5
2
3 9

```
  2 4
× 3 5
-----
  1 2 0
  7 2
-----
  8 4 0
```

Note

Note